Trece relatos hispánicos

Trece
relatos
hispánicos

GEORGE D. SCHADE
THE UNIVERSITY OF TEXAS

New York   THE ODYSSEY PRESS

Preface

Trece relatos hispánicos is a collection of stories from Spain and Spanish America suitable for use as a reader in second year college classes. Since most of these tales have not appeared previously in a text edited for classroom use, a great deal of the material should be fresh to students and teacher alike. In making the selection presented here, I was guided chiefly by the following aims: that the individual stories should have literary quality, universality, and appeal to students, especially students beginning to develop mature, adult tastes; and that the collection, as a whole, should possess variety in mood and theme.

Little emphasis has been placed on the regional short story, a common type in the Hispanic literatures, in order to avoid the difficulties and pitfalls caused by the idiosyncrasies of its native or Indian vocabularies. Nevertheless, authors from many and diverse regions are represented. But, in the main, their stories included here are universal in appeal; thus, *La mano del Comandante Aranda* by the Mexican Alfonso Reyes or *El hombre de medianoche* by the Chilean Juan Marín could as easily have been written by Spaniards. Four of the selections are from Spain, four from Mexico, and the remaining five are scattered among South American nations.

These tales are filled with reality and fantasy, tragedy and comedy, and with that blending of these opposites so frequently encountered in the literatures of Spain and Spanish America. A special effort was made to include selections with some humorous flavor, whether in the form of gentle irony, trenchant satire, or broad humor. Most of the contributors are well-known twentieth century writers, although several outstanding figures have been included who wrote primarily or entirely in the nineteenth century, like Emilia Pardo Bazán, Armando Palacio Valdés, and Ricardo Palma. About half of the authors whose works appear here are still living, and several of these stories were published very recently, e.g., *El hombre de medianoche* (1949) by Juan Marín, and *Pescadores* (1953) by Ermilo Abreu Gómez. Because of its comparative brevity, *Trece relatos hispánicos* may be used with a review grammar and one or two other readers, such as a play or short novel, in second year college classes where it seems advisable or desirable to give students a sampling of the various literary genres.

Three of these tales have been cut slightly where passages of unusual difficulty added nothing important to the narrative or description. The other ten stories are complete and unchanged from the original text.

The brief notes introducing each story are intended to tell the student something about the author and his work, his style and reputation, and to give some indication of the essence of the story that follows.

In difficulty of language these stories range from quite easy (*Pescadores, Las medias de los flamencos*) to quite challenging (*La mano del Comandante Aranda*). I have tried to present them in a graded order, with the simplest first and the more complex later. The text has been supplemented with numerous footnotes explaining geographical

Preface vii

and historical references, and translating unusual words and thorny passages. Though some rather uncommon words are not footnoted, I have endeavored to clarify those that most students would be unfamiliar with, in order to avoid excessive vocabulary thumbing.

Several kinds of exercises are offered at the end of each story. First, there are questions based on the text. Some of these call for precise answers about factual matters; factual in nature, others ask for opinion or judgment and require fuller and more thoughtful answers. And second, topics related to the story are suggested for additional oral practice in Spanish, which can give students an opportunity for originality. If desired, these themes could be written as well as oral. Lastly, there is a brief written composition, a translation exercise from English to Spanish, based primarily on the text.

I should like to express my grateful acknowledgment to the authors of these stories or to their heirs who kindly gave permission to use their work in this book. I am also indebted to my colleagues, Professors J. R. Spell and Joseph Matluck, who read the manuscript and offered many helpful suggestions, and to Professor Ramón Martínez-López, who aided me in clarifying the interpretation of several doubtful passages.

G. D. S.

Contents

Pescadores

Ermilo Abreu Gómez

Ermilo Abreu Gómez

ERMILO ABREU GÓMEZ (1894–) is a versatile Mexican author who began by writing plays. After winning fame as a critic of Mexican colonial literature, he turned to the short story with *Cuentos de Juan Pirulero*, a collection of delightful tales for children. Abreu Gómez shows his fascination with the Indian in Mexican life in *Canek* (1940) and *Héroes mayas* (1942), collections of stories that are dramatically but simply told. He has also written a good novel, *Naufragio de Indios* (1953), and a charming autobiographical volume, *La del alba sería* (1954), which tells of his boyhood and youth in Mérida, Yucatán.

In his mature work, Abreu Gómez has achieved a simple, lyrical, yet dignified style. A good example is *Pescadores*, a variation on the theme of a valuable pearl found by a fisherman and how it affects his and others' lives.

Pescadores

Cerca del mar vivían dos hombres. Eran pescadores y
también amigos. Vivían en unas casitas pobres sin más
adorno que algunas flores puestas ahí en las ventanas. Los
dos eran casados. Uno de ellos se llamaba Julián. Su mujer
se llamaba Plácida. El otro se llamaba Guillermo. Su
mujer se llamaba Josefina. Como casi siempre sucede se
trataba de matrimonios desiguales. Julián era de vida
sencilla y simple; sabía acomodarse a las circunstancias y
estaba dispuesto a sobrellevar los azares de la suerte. Su
mujer, en cambio, era arisca y no se avenía con los trastor-
nos de la vida. Con razón o sin razón siempre estaba refun-
fuñando. Quejas y blasfemias salían de su boca. Todo lo
encontraba malo, hasta las pocas cosas buenas con que
tropezaba. Con este carácter había amargado la vida de
su marido.

En el otro matrimonio las cosas estaban dispuestas de
distinto modo. Guillermo vivía con el ceño fruncido;[1]
estaba dispuesto a decir improperios [2] y a malquerer a

---

[1] vivía ... fruncido was always frowning   [2] improperios insults

la gente. Casi no se podía hablar con él, porque sus respuestas eran ríspidas y groseras. En cambio su mujer vivía callada; sacaba partido de lo que había[3] y jamás nadie la vió violenta. Era tan hacendosa, que su casa se veía limpia y reluciente.

Pues sucedió que, en cierta ocasión, escaseó la pesca más de lo natural. Los dos hombres volvían del mar con las manos vacías. Era como si los peces hubieran huído de aquellos lugares. Un día, sin embargo, Julián pescó un «mero.» Sin desprenderlo del anzuelo lo llevó a su casa. El sabía que su vecino Guillermo no había pescado nada. Llamó a Plácida su mujer y le dijo:

— Mira, fríe la mitad de esto y dale la otra mitad a la mujer de nuestro vecino Guillermo, el pobrecito no pescó nada.

La mujer, como era de esperar,[4] dijo:

— ¿Estás loco? ¿Cómo quieres que ofrezca la mitad de esta miseria de carne? Lo que sobre — si sobra — lo comeremos mañana. Los tiempos, bien lo sabes, no están para hacer caridad.

Julián, que ya conocía a su mujer, no dijo nada. Se sentó a comer. Comió en silencio y luego se acostó en su catre, mientras su mujer lavaba los platos. Julián se puso a soñar. ¡Es tan barato soñar! Caía la noche. A eso de la madrugada, las voces de las sirenas despertaron a Julián. Eran voces que iban por el viento. Su mujer, aunque despierta, no oyó nada. Al día siguiente el pedazo de pescado que Plácida guardó se había convertido en carbón.

A poco,[5] Julián y Guillermo salieron a pescar. Cuando se iba el sol, recogieron sus bártulos.[6] Julián consiguió un pececillo mucho más pequeño que el anterior. Guillermo no pescó nada. Julián volvió a decir a su mujer:

---

[3] **sacaba . . . había** she made the best of whatever was available
[4] **era de esperar** was to be expected
[5] **A poco** after a little while   [6] **bártulos** fishing gear

— Mira, nuestro vecino no pescó nada. Anda, no seas mala, dale la mitad de este pececillo para que coma.

La mujer se puso furiosa. Se puso a gritar:

— ¡Qué ocurrencias tienes! Este pescadito no bastará ni para que cenemos hoy.

Plácida, egoísta, guardó los desperdicios. Al amanecer [7] éstos se habían convertido en piedrecitas.

Al día siguiente, los dos vecinos, como de costumbre, fueron a la playa y echaron sus anzuelos. Ya se oían las campanas de la oración cuando Julián sacó un pececillo mucho más pequeñito que el anterior.

Julián volvió a decir a su mujer:

— Dale a nuestro vecino aunque sea un pedacito. Hoy tampoco tuvo suerte.

La mujer perdió los estribos;[8] agarró el pececillo, lo miró con desprecio y lo tiró sobre la arena.

— ¡Prefiero que se lo coman las hormigas! — dijo.

Julián, con calma, pero enérgico, le dijo:

— No hagas eso. Dáselo a la mujer de Guillermo.

La mujer se encogió de hombros. Entonces Julián recogió el pececillo; lo limpió de arena y se lo llevó a Josefina.

— Tenga esto, vecina — le dijo; — vea si le sirve de algo.

Josefina y Guillermo recibieron aquello con muestras de regocijo. No encontraban palabras para agradecer semejante regalo. Josefina aderezó [9] como pudo aquel pececillo. De pronto,[10] entre sus agallas, vió que tenía una piedrecita redonda, lisa y brillante; la tomó, la limpió y la miró. Luego llamó a su marido.

— Ven, Guillermo, ven a ver esto.

Guillermo tomó aquella piedrecita reluciente y exclamó:

— Mujer, es una perla.

— ¿Una perla?

---

[7] Al **amanecer** at dawn   [8] **perdió los estribos** lost her head
[9] **aderezó** prepared
[10] De **pronto** suddenly

— Una perla, y de las buenas. Nos la guardaremos y seremos ricos.

— No, Guillermo, no nos pertenece. La debemos devolver a Julián. Es de él; él pescó el pececillo.

Y sin esperar más, Josefina tomó la perla, llamó a Julián y a su mujer y les dijo:

— Vecinos, entre las agallas del pescadito, encontramos esta perla. Es de ustedes; aquí la tienen.

Plácida arrebató la perla y ya se la iba a guardar, cuando Julián se interpuso:

— No mujer, esta perla no es de nosotros. Yo pesqué el pececillo, tú lo tiraste y ellos la descubrieron. Voy a hablar con el «farero»;[11] él conoce gentes ricas. La venderemos y con su producto todos saldremos ganando.

Así lo hizo Julián. Vendió la perla y con el dinero los dos vecinos compraron una canoa grande y en ella, con otros marineros, salían a pescar mar adentro.[12] Los dos matrimonios olvidaron la miseria de los días pasados. Julián, romántico, compró una pipa y por las tardes se sentaba a fumar y a mirar el mar. Guillermo, práctico, compró un traje de hule.[13] Josefina pidió a la Virgen un niño y el niño llegó. Parecía un ángel de tan lindo que era.[14] Plácida, incorregible, noche a noche, hurgaba las agallas de los peces que su marido pescaba. Así envejeció y se hizo fea.

[11] **farero** lighthouse keeper
[12] **salían . . . adentro** they went out deep-sea fishing
[13] **traje de hule** oilskin suit   [14] **de tan . . . era** he was so beautiful

EJERCICIOS

I. Contéstese en español:

1. ¿Dónde vivían los pescadores?
2. ¿Cómo era Plácida, la esposa de Julián?

3. ¿Reflejaba su carácter el nombre de Plácida que llevaba?
4. ¿En qué sentido eran desiguales los dos matrimonios del cuento?
5. ¿Siempre había mucha pesca por esas regiones?
6. ¿En qué se convirtieron los pedazos de pescado que guardaba Plácida?
7. ¿Tuvo Guillermo la misma suerte que su vecino en la pesca?
8. ¿Por qué les dió Julián un pececillo a Guillermo y Josefina?
9. ¿Cómo recibieron ese regalo?
10. ¿Qué estaba entre las agallas del pececillo?
11. ¿A quién pertenecía esa perla, según Guillermo? ¿Según Josefina?
12. ¿Qué decidieron hacer los vecinos con la perla?
13. ¿Qué hicieron con el dinero que recibieron por la perla?
14. ¿Qué solía hacer, noche a noche, la incorregible Plácida?

II. Otros temas de conversación:

1. La vida de los pescadores
2. Las perlas
3. Los matrimonios desiguales

III. Composición. Tradúzcase al español:

The life of fishermen is hard and sometimes there is not enough to eat in their houses. Plácida was a fisherman's wife who was never satisfied. If her husband wanted to give half of his fish to a friend who didn't catch any, she would become furious. One day her husband caught a little fish that was so small that Plácida was going to throw it away. Her neighbor, Josefina, discovered in its insides a beautiful pearl, smooth and shining. They sold it and became rich. However, Plácida wasn't satisfied with their good fortune: every night she would poke through the fishes' gills, hoping to find more pearls. In this way she grew old and ugly.

Las medias de los flamencos

Horacio Quiroga

Horacio Quiroga

HORACIO QUIROGA (1878–1937) is usually regarded as the most outstanding short-story writer of Spanish America. Born in Uruguay, he spent much of his life in the tropical forests of Argentina's province of Misiones, from which he drew material for many of his books. The fierce struggle between man and nature is a constantly recurring theme. His stories, which emphasize situations more than plot or character, are often grim and violent, with vivid emotional effects, e.g., *La gallina degollada*. Among Quiroga's best collections of short stories are *Cuentos de amor, de locura y de muerte* (1917), *Anaconda* (1921), *El desierto* (1924), and *Los desterrados* (1926).

Unlike the bulk of his work, which is somber and full of horror, *Cuentos de la selva* (1918) is a charming volume of imaginative tales for children about the animals of the Misiones jungle. The gem of this collection is undoubtedly *Las medias de los flamencos*.

Las medias de los flamencos

Horacio Quiroga

Cierta vez las víboras dieron un gran baile. Invitaron a las ranas y a los sapos, a los flamencos, y a los yacarés [1] y a los pescados. Los pescados, como no caminan, no pudieron bailar; pero siendo el baile a la orilla del río, los pescados estaban asomados a la arena, y aplaudían con la cola.

Los yacarés, para adornarse bien, se habían puesto en el pescuezo un collar de bananas, y fumaban cigarros paraguayos. Los sapos se habían pegado escamas de pescado en todo el cuerpo, y caminaban meneándose, como si nadaran. Y cada vez que pasaban muy serios por la orilla del río, los pescados les gritaban haciéndoles burla.

Las ranas se habían perfumado todo el cuerpo, y caminaban en dos pies. Además, cada una llevaba colgada como un farolito, una luciérnaga [2] que se balanceaba.

Pero las que estaban hermosísimas eran las víboras. Todas, sin excepción, estaban vestidas con traje de bailarina del mismo color de cada víbora. Las víboras coloradas

[1] **yacarés** alligators (*Amer.*)
[2] **luciérnaga** firefly

11

llevaban una pollerita de tul [3] colorado; las verdes, una de
tul verde; las amarillas otra de tul amarillo; y las yararás,[4]
una pollerita de tul gris pintada con rayas de polvo de
ladrillo y ceniza, porque así es el color de las yararás.

Y las más espléndidas de todas eran las víboras de coral,
que estaban vestidas con larguísimas gasas [5] rojas, blancas
y negras, y bailaban como serpentinas. Cuando las víboras
danzaban y daban vueltas apoyadas en la punta de la cola,
todos los invitados aplaudían como locos.

Sólo los flamencos, que entonces tenían las patas blancas,
y tienen ahora como antes la nariz muy gruesa y torcida,
sólo los flamencos estaban tristes, porque como tienen muy
poca inteligencia, no habían sabido cómo adornarse. En-
vidiaban el traje de todos, y sobre todo el de las víboras de
coral. Cada vez que una víbora pasaba por delante de ellos,
coqueteando y haciendo ondular las gasas de serpentina, los
flamencos se morían de envidia.

Un flamenco dijo entonces:

— Yo sé lo que vamos a hacer. Vamos a ponernos medias
coloradas, blancas y negras, y las víboras de coral se van a
enamorar de nosotros.

Y levantando todos juntos el vuelo,[6] cruzaron el río y
fueron a golpear en un almacén del pueblo.

— ¡Tán-tán! — pegaron con las patas.

— ¿Quién es? — respondió el almacenero.

— Somos los flamencos. ¿Tiene medias coloradas, blancas
y negras?

— No, no hay — contestó el almacenero. — ¿Están locos? En ninguna parte van a encontrar medias así.

Los flamencos fueron entonces a otro almacén.

— ¡Tán-tán! ¿Tiene medias coloradas, blancas y negras?

[3] **pollerita de tul** little tulle skirt
[4] **yararás** poisonous snakes (*Argentina*)
[5] **gasas** chiffon gowns
[6] **levantando ... vuelo** all of them flying off

El almacenero contestó:

— ¿Cómo dice? ¿Coloradas, blancas y negras? No hay medias así en ninguna parte. Ustedes están locos. ¿Quiénes son?

— Somos los flamencos — respondieron ellos.

Y el hombre dijo:

— Entonces son con seguridad flamencos locos.

Fueron entonces a otro almacén.

— ¡Tán-tán! ¿Tiene medias coloradas, blancas y negras?

El almacenero gritó:

— ¿De qué color? ¿Coloradas, blancas y negras? Solamente a pájaros narigudos [7] como ustedes se les ocurre pedir medias así. ¡Váyanse en seguida!

Y el hombre los echó con la escoba.

Los flamencos recorrieron así todos los almacenes, y de todas partes los echaban por locos.

Entonces un tatú [8] que había ido a tomar agua al río, se quiso burlar de los flamencos y les dijo, haciéndoles un gran saludo:

— ¡Buenas noches, señores flamencos! Yo sé lo que ustedes buscan. No van a encontrar medias así en ningún almacén. Tal vez haya en Buenos Aires, pero tendrán que pedirlas por encomienda postal. Mi cuñada, la lechuza, tiene medias así. Pídanselas, y ella les va a dar las medias coloradas, blancas y negras.

Los flamencos le dieron las gracias, y se fueron volando a la cueva de la lechuza. Y le dijeron:

— ¡Buenas noches, lechuza! Venimos a pedirte las medias coloradas, blancas y negras. Hoy es el gran baile de las víboras, y si nos ponemos esas medias, las víboras de coral se van a enamorar de nosotros.

— ¡Con mucho gusto! — respondió la lechuza. — Esperen un segundo, y vuelvo en seguida.

---

[7] **narigudos** big-nosed, i.e. with huge bills   [8] **tatú** armadillo (*Amer.*)

Y echando a volar,[9] dejó solos a los flamencos; y al rato [10] volvió con las medias. Pero no eran medias, sino cueros de víboras de coral, lindísimos cueros recién sacados a las víboras que la lechuza había cazado.

— Aquí están las medias — les dijo la lechuza. — No se preocupen de nada, sino de una sola cosa; bailen toda la noche, bailen sin parar un momento, bailen de costado, de pico, de cabeza, como ustedes quieran; pero no paren un momento, porque en vez de bailar van, entonces, a llorar.

Pero, los flamencos, como son tan tontos, no comprendían bien qué gran peligro había para ellos en eso, y locos de alegría se pusieron los cueros de las víboras de coral, como medias, metiendo las patas dentro de los cueros que estaban como tubos. Y muy contentos se fueron volando al baile.

Cuando vieron a los flamencos con sus hermosísimas medias, todos les tuvieron envidia. Las víboras querían bailar con ellos, únicamente, y como los flamencos no dejaban un instante de mover las patas, las víboras no podían ver bien de qué estaban hechas aquellas preciosas medias.

Pero poco a poco, sin embargo, las víboras comenzaron a desconfiar. Cuando los flamencos pasaban bailando al lado de ellas, se agachaban hasta el suelo para ver bien.

Las víboras de coral, sobre todo, estaban muy inquietas. No apartaban la vista de las medias, y se agachaban también, tratando de tocar con la lengua las patas de los flamencos, porque la lengua de las víboras es como la mano de las personas. Pero los flamencos bailaban y bailaban sin cesar, aunque estaban cansadísimos y ya no podían más.[11]

Las víboras de coral, que conocieron esto, pidieron en seguida a las ranas sus farolitos, que eran bichitos de luz,

---

[9] **echando a volar** flying off
[10] **al rato** in a little while
[11] **ya no podían más** they were worn out

y esperaron todas juntas a que los flamencos se cayeran de cansados.[12]

Efectivamente, un minuto después, un flamenco que ya no podía más, tropezó con el cigarro de un yacaré, se tambaleó y cayó de costado. En seguida las víboras de coral corrieron con sus farolitos, y alumbraron bien las patas del flamenco. Y vieron qué eran aquellas medias, y lanzaron un silbido que se oyó desde la otra orilla del Paraná.[13]

— ¡No son medias! — gritaron las víboras. — ¡Sabemos lo que es! ¡Nos han engañado! ¡Los flamencos han matado a nuestras hermanas y se han puesto sus cueros como medias! ¡Las medias que tienen son de víboras de coral!

Al oír esto, los flamencos, llenos de miedo porque estaban descubiertos, quisieron volar; pero estaban tan cansados que no pudieron levantar una sola pata. Entonces las víboras de coral se lanzaron sobre ellos, y enroscándose en sus patas les deshicieron a mordiscones las medias.[14] Les arrancaban las medias a pedazos, enfurecidas, y les mordían también las patas, para que murieran.

Los flamencos, locos de dolor, saltaban de un lado para otro, sin que las víboras de coral se desenroscaran de sus patas. Hasta que al fin, viendo que ya no quedaba un solo pedazo de media, las víboras los dejaron libres, cansadas y arreglándose las gasas de su traje de baile.

Además, las víboras de coral estaban seguras de que los flamencos iban a morir, porque la mitad, por lo menos,[15] de las víboras de coral que los habían mordido, eran venenosas.

Pero los flamencos no murieron. Corrieron a echarse al agua, sintiendo un grandísimo dolor. Gritaban de dolor y sus patas, que eran blancas, estaban entonces coloradas por el veneno de las víboras. Pasaron días y días, y siempre

---

[12] de cansados from weariness
[13] large river that flows through Brazil to Uruguay
[14] les deshicieron ... medias with savage bites they tore their stockings to shreds   [15] por lo menos at least

sentían ardor en las patas, y las tenían siempre de color sangre, porque estaban envenenadas.

Hace de esto muchísimo tiempo.[16] Y ahora todavía están los flamencos casi todo el día con sus patas coloradas metidas en el agua, tratando de calmar el ardor que sienten en ellas.

A veces se apartan de la orilla, y dan unos pasos por tierra, para ver cómo se hallan. Pero los dolores del veneno vuelven en seguida, y corren a meterse en el agua. A veces el ardor que sienten es tan grande, que encogen una pata y quedan así horas enteras, porque no pueden estirarla.

Esta es la historia de los flamencos, que antes tenían las patas blancas y ahora las tienen coloradas. Todos los pescados saben por qué es, y se burlan de ellos. Pero los flamencos, mientras se curan en el agua, no pierden ocasión de vengarse, comiéndose a cuanto pescadito se acerca demasiado a burlarse de ellos.

[16] **hace ... tiempo** this happened a long time ago

EJERCICIOS

I. Contéstese en español:

1. ¿Quiénes dieron un gran baile?
2. ¿Cómo estaban vestidos los convidados?
3. ¿Cuáles de las víboras eran las más espléndidas? ¿Por qué?
4. ¿Cómo eran los flamencos?
5. ¿Por qué se morían de envidia los flamencos?
6. ¿Qué buscaban en los almacenes del pueblo? ¿Las consiguieron?
7. ¿Qué les dijo un tatú a los flamencos?
8. ¿Dónde por fin obtuvieron las medias?
9. ¿Qué consejos les dió la lechuza?
10. ¿Qué fué la reacción de los otros convidados cuándo volvieron los flamencos al baile?
11. ¿De qué estaban hechas las medias de los flamencos?
12. ¿Por qué comenzaron a desconfiar las víboras?

13. ¿Por qué trataron de tocar con la lengua las medias de los flamencos?

14. ¿Por qué pidieron las víboras a las ranas sus farolitos?

15. Descríbase el ataque de las víboras.

16. ¿Cómo es que no se murieron los flamencos de los mordiscones?

17. ¿Por qué tienen los flamencos las patas coloradas?

18. ¿Cómo se vengan los flamencos de los pescados que se burlan de ellos?

II. Otros temas de conversación:

1. El flamenco, ave hermosa y rara
2. Una fiesta a la cual llegan disfrazados los convidados
3. Otro baile que dan los flamencos para todos los animales de la selva

II. Composición. Tradúzcase al español:

Once upon a time many animals of the forest went to a dance given by the serpents. All were dressed splendidly, but especially the coral snakes. The flamingos, who had no imagination, didn't know what to wear and envied the others. After looking everywhere, the poor flamingos finally got hold of some stockings which were really snake skins. They put them on and returned to the dance. Soon the snakes became uneasy and tried to find out what the flamingos' beautiful stockings really were. It was difficult for them because the birds didn't stop dancing. However, at last one got tired, stumbled and fell. Then everybody knew what the stockings were.

El abanico

Vicente Riva Palacio

Vicente Riva Palacio

VICENTE RIVA PALACIO (1832–1896) was a Mexican journalist, politician, general, historian, and novelist; but today his fame undoubtedly rests on his short stories, *Cuentos del general,* which were published posthumously in 1896. He spent much time in the archives studying his country's history, and was especially well acquainted with the colonial period; most of his stories have their source in the history, legends, and traditions of that colorful epoch. A gentle irony and pleasing sense of humor are characteristic of his work. *El abanico* is a typical story, inspired by a simple anecdote and told in a conventional style.

El abanico

Vicente Riva Palacio

El Marqués estaba resuelto a casarse, y había comunicado aquella noticia a sus amigos, y la noticia corrió con la velocidad del relámpago por toda la alta sociedad, como toque de alarma [1] a todas las madres que tenían hijas casaderas, y a todas las chicas que estaban en condiciones y con deseos de contraer matrimonio, que no eran pocas.

Porque, eso sí,[2] el Marqués era un gran partido, como se decía entre la gente de mundo. Tenía treinta y nueve años, un gran título, mucho dinero, era muy guapo y estaba cansado de correr el mundo, haciendo siempre el primer papel [3] entre los hombres de su edad dentro y fuera de su país.

Pero se había cansado de aquella vida de disipación. Algunos hilos de plata comenzaban a aparecer en su negra barba y entre su sedosa cabellera; y como era hombre de buena inteligencia y no de escasa lectura, determinó sentar sus reales [4] definitivamente, buscando una mujer como él

[1] **toque de alarma** alarm bell   [2] **eso sí** yes, indeed
[3] **haciendo ... papel** always playing the leading role
[4] **sentar sus reales** settle down

21

la soñaba para darla [5] su nombre y partir con ella las penas
o las alegrías del hogar en los muchos años que estaba deter-
minado a vivir todavía sobre la tierra.

Con la noticia de aquella resolución no le faltaron seducciones,[6] ni de maternal cariño, ni de románticas o alegres
bellezas; pero él no daba todavía con su ideal, y pasaban
los días, y las semanas, y los meses, sin haber hecho la
elección.

— Pero, hombre — le decían sus amigos, — ¿hasta cuándo
no vas a decidirte? [7]

— Es que no encuentro todavía la mujer que busco.

— Será porque tienes pocas ganas de casarte, que muchachas sobran.[8] ¿No es muy guapa la Condesita de Mina de
Oro?

— Se ocupa demasiado de sus joyas y de sus trajes;
cuidará más de un collar de perlas que de su marido, y será
capaz de olvidar a su hijo por un traje de la casa de Worth.

— ¿Y la Baronesa del Iris?

— Muy guapa y muy buena; es una figura escultórica,
pero lo sabe demasiado; el matrimonio sería para ella el
peligro de perder su belleza, y llegaría a aborrecer a su
marido si llegaba a suponer que su nuevo estado marchitaba
su hermosura.

— ¿Y la Duquesa de Luz Clara?

— Soberbia belleza; pero sólo piensa en divertirse; me
dejaría moribundo en la casa por no perder una función del
Real,[9] y no vacilaría en abandonar a su hijo enfermo toda
una noche por asistir al baile de una embajada.

— Y la Marquesa de Cumbre-Nevada, ¿no es guapísima
y un modelo de virtud?

---

[5] **darla = darle**   [6] **seducciones** attractive women

[7] **hasta ... decidirte** how long is it going to take you to make up your
mind?

[8] **que muchachas sobran** for there are plenty of girls

[9] **Real** Opera House in Mexico City

—Ciertamente; pero es más religiosa de lo que un marido
necesita: ningún cuidado, ninguna pena, ninguna enfermedad de la familia le impediría pasarse toda la mañana en la
iglesia, y no vacilaría entre un sermón de cuaresma y la
alcobita de su hijo.

—Vamos; tú quieres una mujer imposible.

—No, nada de imposible; ya veréis cómo la encuentro,
aunque no sea una completa belleza; porque la hermosura
para el matrimonio no es más que el aperitivo para el almuerzo; la busca sólo el que no lleva apetito, que [10] quien
tiene hambre no necesita aperitivos, y el que quiere casarse
no exige el atractivo de la completa hermosura.

* * *

Tenía el Marqués como un axioma, fruto de sus lecturas
y de su mundanal experiencia, que a los hombres, y quien
dice a los hombres dice también a las mujeres, no debe
medírseles para formar juicio acerca de ellos por las grandes
acciones, sino por las acciones insignificantes y familiares;
porque los grandes hechos, como tienen siempre muchos
testigos presentes o de referencia, son resultado más del
cálculo que de las propias inspiraciones, y no traducen con
fidelidad las dotes del corazón o del cerebro; al paso que [11]
las acciones insignificantes hijas son [12] del espontáneo movimiento de la inteligencia y de los sentimientos, y forman
ese botón que, como dice el refrán antiguo, basta para
servir de muestra.[13]

* * *

Una noche se daba un gran baile en la Embajada de
Inglaterra. Los salones estaban literalmente cuajados de

---

[10] que = porque   [11] al paso que while
[12] hijas son are the result
[13] ese botón que basta para servir de muestra that small bit of proof that
suffices as an example (of one's true character)

hermosas damas y apuestos caballeros, todos flor y nata de las clases más aristocráticas de la sociedad. El Marqués estaba en el comedor, adonde había llevado a la joven Condesita de Valle de Oro, una muchacha de veinte años, inteligente, simpática y distinguida, pero que no llamaba, ni con mucho,[14] la atención por su belleza, ni era una de esas hermosuras cuyo nombre viene a la memoria cada vez que se emprende conversación acerca de mujeres encantadoras.

La joven Condesa era huérfana de madre, y vivía sola con su padre, noble caballero, estimado por todos cuantos [15] le conocían.

La Condesita, después de tomar una taza de té, conversaba con algunas amigas antes de volver a los salones.

— Pero cómo, ¿no estuviste anoche en el Real? Cantaron admirablemente el Tannhauser [16] — le decía una de ellas.

— Pues mira: me quedé vestida, porque tenía deseos, muchos deseos, de oír el Tannhauser; es una ópera que me encanta.

— ¿Y qué pasó?

— Pues que ya tenía el abrigo puesto, cuando la doncella me avisó que Leonor estaba muy grave. Entré a verla, y ya no me atreví a separarme de su lado.

— Y esa Leonor — dijo el Marqués terciando en la conversación, — ¿es alguna señora de la familia de usted?

— Casi, Marqués; es el aya [17] que tuvo mi mamá; y como nunca se ha separado de nosotros y me ha querido tanto, yo la veo como de mi familia.

— ¡Qué abanico tan precioso traes! — dijo a la Condesita una de las jóvenes que hablaba con ella.

— No me digas,[18] que estoy encantada con él y lo cuido

---

[14] **ni con mucho** by any means
[15] **todos cuantos** all those who
[16] **Tannhauser** opera by Richard Wagner (1813–1883)
[17] **aya** governess
[18] **no me digas** you don't need to tell me

como a las niñas de mis ojos;[19] es un regalo que me hizo
mi padre el día de mi santo, y son un primor la pintura y
las varillas [20] y todo él; me lo compró en París.

— ¿A ver, a ver? — dijeron todas, y se agruparon en
derredor de la Condesita, que, con una especie de infantil
satisfacción, desplegó a sus ojos el abanico, que realmente
era una maravilla del arte.

En este momento, uno de los criados que penosamente
cruzaba entre las señoras llevando en las manos una enorme
bandeja con helados, tropezó, vaciló y, sin poderse valer,[21]
vino a chocar contra el abanico, abierto en aquellos mo-
mentos, haciéndolo pedazos. Crujieron [22] las varillas, rasgóse [23] en pedazos la tela, y poco faltó para que los frag-
mentos hirieran la mano de la Condesita.

— ¡Qué bruto! — dijo una señora mayor.

— ¡Qué animal tan grande! — exclamó un caballero.

— Parece que no tiene ojos — dijo una chiquilla.

Y el pobre criado, rojo de vergüenza y sudando de pena,
podía apenas balbucir una disculpa ininteligible.

— No se apure usted, no se mortifique — dijo la Condesita con la mayor tranquilidad; — no tiene usted la
culpa; nosotras,[24] que estamos aquí estorbando el paso.

Y reuniendo con la mano izquierda los restos del abanico,
tomó con la derecha el brazo del Marqués, diciéndole con
la mayor naturalidad:

— Están tocando un vals, y yo le tengo comprometido
con usted; ¿me lleva usted al salón de baile?

— Sí, Condesa; pero no bailaré con usted este vals.

— ¿Por qué?

— Porque en este momento voy a buscar a su padre de

---

[19] **a las niñas de mis ojos** the apple of my eye
[20] **varillas** ribs
[21] **sin poderse valer** without being able to help it
[22] **crujieron** snapped   [23] **rasgóse** = **se rasgó**
[24] **nosotras** (*add* **sí tenemos la culpa**)

usted para decirle que mañana mismo iré a pedirle a usted
por esposa, y dentro de ocho días, tiempo suficiente para
que ustedes se informen, iré a saber la resolución.

— Pero, Marqués — dijo la Condesita trémula, — ¿Es
esto puñalada de pícaro? [25]

— No, señora; será, cuando más,[26] una estocada de
caballero.[27]

* * *

Tres meses después se celebraban aquellas bodas; y en
una rica moldura bajo cristal,[28] se ostentaba en uno de los
salones del palacio de los nuevos desposados el abanico roto.

[25] **puñalada de pícaro** roguish thrust, i.e. a joke   [26] **cuando más** at most
[27] **estocada de caballero** a gentleman's thrust, i.e. I am serious
[28] **moldura bajo cristal** glassed-in case

EJERCICIOS

I. **Contéstese en español:**

1. ¿Por qué era un gran partido el Marqués?
2. ¿Cómo era la mujer ideal que buscaba este Marqués?
3. ¿Qué dijo el Marqués de la hermosura para el matrimonio?
4. ¿Por qué se debe medir los hombres o las mujeres por las
acciones insignificantes?
5. ¿Dónde se daba un gran baile una noche?
6. ¿Quiénes asistieron al baile?
7. ¿Cómo era la joven Condesita de Valle de Oro?
8. ¿A la Condesa le gustaba la ópera?
9. ¿Cómo era el abanico que llevaba la Condesa?
10. ¿Qué pasó cuando cruzaba entre las señoras un criado?
11. ¿Qué llevaba este criado en una bandeja?
12. ¿Cómo reaccionaron los señores ante el accidente?
13. ¿Cómo se disculpó el criado?
14. ¿Por qué le impresionó al Marqués tanto esta escena?
15. ¿Por qué quería ver al padre de la Condesa?
16. ¿Qué hicieron con el abanico?

II. Otros temas de conversación:

1. La ópera
2. El noviazgo
3. Los abanicos

III. Composición. Tradúzcase al español:

The Marquis was thirty-nine, good looking, had plenty of money and was still a bachelor. He wanted to get married. He dreamed of a woman who would share with him the joys and the sorrows of a life together. He was looking for something more than beauty. But it is not so easy for one to find one's ideal. One evening when he was at a ball at the English embassy, the Marquis met a charming countess. She was not the most beautiful woman there, but he fell in love with her because of her fine character. He went immediately to her father to ask for her hand. Shortly afterward they were married.

Los niños en la playa

Azorín

Azorín

Azorín (1873–), whose real name is José Martínez Ruiz, is probably the most famous of living Spanish prose writers. His work is both abundant and varied: criticism, the essay, the novel, the drama. He has published two collections of short stories: *Blanco en azul* (1929) and *Cuentos* (1956). Extremely responsive to the stimulus of his environment and to all kinds of sensory impressions, Azorín is a master in the creation of moods and subtle feelings. His style is lyrical, very personal, and impressionistic. In *Los niños en la playa* Azorín describes a writer striving to live in the present, yet caught up in his memories of the past. Typical of his work, this story is written with delicacy, nuance, and restraint, and is almost devoid of action.

Los niños en la playa

Azorín

¿Un cuento de niños en la playa? Perfectamente. Principiemos. Pues, señor, una vez había un poeta; se llamaba Félix Vargas. El poeta está al lado del mar, en una casa ancha, clara, limpia. No es un poeta pobre; es, sí, una excepción entre los poetas. Y tiene buen gusto; esto no era preciso decirlo tratándose de [1] un verdadero poeta. En la casa hay una terraza embaldosada [2] con grandes losas; el poeta ama la piedra, la piedra granulienta — la de Guadarrama,[3] la piedra arenisca, fácil y blanda para el trabajo; dura en cuanto los vientos la van azotando y las aguas la mojan; la piedra tallada por cincel ingenuo,[4] en populares imágenes; la piedra tosca, irregular, que se traba en los muros con dura argamasa.[5] El poeta ama la piedra y el agua. Desde la terraza de su casa de verano se divisa un panorama de mar espléndido. De día el mar es azul, verde,

---

[1] **tratándose de** being a question of, i.e. since he is
[2] **embaldosada** paved
[3] **Guadarrama** mountain range in central Spain
[4] **tallada ... ingenuo** cut by a simple chisel   [5] **argamasa** mortar

31

glauco,[6] gris, ceniciento. De noche, allá arriba, fulge,[7] con
intermitencias, la luz de un faro, y las olas hacen, acompasadamente, un son rítmico y ronco, un son que en los
primeros instantes del sueño, entre vigilia y sueño, el poeta
escucha complacido, voluptuoso. Y aquí en la playa, a dos
pasos de la terraza, durante toda la mañana, entre los bañistas extendidos por la dorada arena, los niños, muchos niños,
infinitos niños, van, vienen, triscan,[8] devanean,[9] corren
delante de las olas cuando las olas avanzan; las persiguen,
pisotean,[10] chapoteando [11] con sus piececitos desnudos
cuando las olas, después de haber hecho un esfuerzo avan-
zando hacia los bañistas, se retiran cansadas para arremeter
luego de nuevo.

El poeta trabaja a primera hora de la mañana, cuando el
aire es delgado y fresco, cuando la luz es cristalina y vir-
ginal; luego, próximo [12] el mediodía, vienen a verle tres,
cuatro o seis amigos. Félix Vargas en esa hora está un poco
cansado de la meditación. Los tertuliantes charlan; pero
él, como si hubieran interpuesto una neblina entre los amigos
y su persona, escucha vagamente, como en ausencia, como
desde lejos, las palabras frívolas, ligeras, actuales de señoras
y caballeros. Y sólo cuando habla Plácida Valle parece que
la neblina se desgarra [13] y que el poeta escucha claras, dis-
tintas las palabras. Plácida Valle es alta, esbelta, con el
pecho armoniosamente levantado,[14] sin exageración; todas
sus líneas son llenas, henchidas, y en su faz — con torna-
soles [15] de gravedad, de alegría — los labios forman un breve
trazo rojo, carnosito, fresco. ¿Dónde vive Plácida Valle?
Allá arriba, en un monte, en otra casita frente al mar. La
soledad le place un poco a esta mujer; ya los años han ido
pasando, y el goce de la vida, para Plácida, ha de ser hondo,

[6] **glauco** bluish-green	[7] **fulge** flashes	[8] **triscan** romp
[9] **devanean** loaf about	[10] **pisotean** stamp about	
[11] **chapoteando** splashing	[12] **próximo** near	[13] **se desgarra** lifts
[14] **con ... levantado** full-breasted	[15] **tornasoles** changing reflections	

sosegado y estable. Toda la persona en Plácida respira serenidad y señorío. Cuando habla, sus palabras son lentas y discretas; su mano, una blanca mano gordezuela,[16] se mueve con imperio y con gracia. No dice nunca nada Plácida; no profiere cosas agudas, profundas; pero estas palabras vulgares, corrientes, que ella pronuncia, al ser dichas de modo tan pausado, grave, producen en el poeta el encanto de una inaudita melodía.

Plácida Valle habla, y el poeta, tendido en una larga silla, se incorpora un poco, la mira, la escucha en silencio, embelesado. ¿Podrá haber para el poeta algo nuevo en la vida? La fama le ha dado sus goces; es popular y es selecto [17] al mismo tiempo. Ser para pocos un artista, es vivir confinado en un ambiente estrecho, limitado, angosto; se tiene la aprobación, el fervor de unos pocos discípulos, de un puñado de admiradores. Pero ¿y esta mirada larga, curiosa, ansiosa de un transeúnte que pasa y os reconoce? ¿Y esta sonrisa afable en el tren, en un restaurante, en un Museo, de tal o cual lectora que sigue paso a paso vuestras obras? ¿Y esta resonancia grata, especial — y fecunda — que vuestra obra produce en la inmensidad de la muchedumbre? De la muchedumbre que, dichosamente, con vuestras obras y con las similares de compañeros vuestros, va afinando poco a poco su sensibilidad para llegar a un nivel elevado de paz y de confraternidad mundiales. El poeta Félix Vargas gusta de lo selecto, de lo recoleto [18] e íntimo; pero al mismo tiempo él padecería un poquito si, limitada su obra a un grupo, el público grande no la conociera. Hay en él, en el fondo de su espíritu, en lo más reservado, un suave desdén para los públicos grandes; pero la vanidad tal vez, tal vez la suprema piedad, piedad para todo ser humano, protestan y le sacan como a rastras,[19]

---

[16] **gordezuela** plump
[17] **selecto** admired by the discriminating
[18] **recoleto** abstract [19] **a rastras** unwillingly

pero con suavidad, del estrecho círculo de los selectos al área grande, donde el sol es pleno y los vientos azotan.

Lo ha visto todo Félix Vargas, y está un poco cansado de la vida. El cielo es bajo y gris en esta mañana de verano; los niños, sobre la dorada arena, van y vienen y retozan.[20] En la terraza del poeta se ha charlado un momento; todos los tertuliantes han ido desapareciendo. Todos, no; queda aquí rezagada,[21] como idealmente prendida en una redecita [22] de ensueños, de deseos, de esperanzas, la señoril Plácida Valle. Plácida pasa [23] las páginas de un libro sin ver el texto, y Félix lanza a lo alto [24] una bocanada de humo. Estos días un joven crítico le ha visitado para pedirle datos sobre su vida. Para el poeta es un tormento el regresar desde el momento presente al pretérito. Tiene la superstición del tiempo; la evocación del pasado le agobia; diríase que el evocar el pasado, su pasado — la niñez, la adolescencia, la juventud — ese cúmulo de horas, de días, de meses y de años, se yergue frente a [25] él y le anonada [26] con su peso terrible. Para contestar — en las cuatro sesiones — al crítico, el poeta ha tenido que pensar y pensar muchas horas. Y pensaba, evocando su niñez, su juventud, por las noches, a primera hora, en tanto que [27] en la playa, las olas, en lo obscuro, iban y venían sobre la arena.

Con Plácida habla ahora Félix de su pasado.

— ¡Qué mundo de recuerdos tan angustiosos! — exclama Félix.

Y añade: — Habitualmente, el pasado para mí es un caos negro, un espacio tenebroso. No quiero ver nada en él; es grato para mí el no distinguir nada en mi pasado; tengo así la sensación de ser siempre joven, de ver siempre nueva la vida. Y mi trabajo, estando yo siempre en el

---

[20] **retozan** frolic   [21] **rezagada** behind
[22] **prendida en una redecita** caught in a little net   [23] **pasa** leafs through
[24] **lanza a lo alto** blows high in the air   [25] **se yergue frente a** confronts
[26] **anonada** overwhelms   [27] **en tanto que** while

presente, siempre y con toda mi personalidad, es más grato, más fácil y más fecundo.

Plácida escucha de pie, majestuosa, al poeta, a su poeta; de poco tiempo a esta parte [28] datan sus amistades. La mano gordezuela y rosada de la dama se ha posado, como una flor, en las páginas blancas del libro.

Y el poeta añade:

— Estos días he tenido que evocar mi niñez. Y la he visto toda, toda, con una claridad deslumbradora. Al hacer el más ligero esfuerzo para escrutar lo pretérito se hace de pronto una luz [29] en mi cerebro y desaparece la obscuridad, la grata, la fecunda obscuridad. Lo he visto todo, Plácida. ¿Y sabe usted lo que no he podido ver claro?

Félix Vargas se detiene, y Plácida posa en él, en sus ojos de poeta y de ensoñador, una mirada maternal, amorosa.

— ¿Ve usted los niños que juegan en la playa? Obsérvelos usted — ha continuado el poeta —. Corren, saltan, se cogen de la mano y avanzan en hilera . . .[30] Mire usted aquellos dos, un niño y una niña. ¿Los ve usted? Están allí, delante de aquel montón de arena; él tiene en la mano un bastón. Pues como ese niño y esa niña he estado yo . . . Yo, sí; yo he estado en esta misma playa, como ese niño, cuando yo lo era,[31] en compañía de una niña como ésa. Todos los días diez o doce amiguitos jugábamos en la arena. Y una vez me eché una novia;[32] fué una novia de tres o cuatro días; no duró más el noviazgo. Como prenda de amor eterno, sí, eterno, ella me regaló a mí una caracolilla de mar, y yo a ella otra exactamente lo mismo. Encontré ayer, rebuscando papeles en un cajón, esa caracolita. ¡Y cuánta emoción me produjo el hallazgo! La voy a traer; la verá usted.

---

[28] **de poco . . . parte** from a short while back
[29] **se hace . . . luz** a light suddenly is turned on
[30] **en hilera** in a row   [31] **yo lo era** I was one
[32] **me eché una novia** I found myself a sweetheart

Félix Vargas se ha levantado rápidamente, ha entrado en
la casa y ha traído la caracolita.

— Lo que yo quisiera saber — ha añadido el poeta — es
quién era la niña que cambió conmigo esta prenda de eterno
amor. ¡Eran tantas las niñas que he conocido en aquellos
años de la infancia! No tengo ni la menor idea de ésta. ¡Y
cuánto daría por verla ahora, ya mujer, después de tantos
años!

Plácida miraba en silencio al poeta. Durante un momento
sus mejillas se han encendido con vivo carmín, sus ojos han
brillado con una luz misteriosa. Y al despedirse ha dicho:

— Félix, quiero que venga usted a mi casa. ¿Vendrá
usted? Pasado mañana; tenemos que hablar. Le espero a
usted.

Y había una ligera emoción en sus palabras. Y su mano
se ha abandonado unos segundos entre las manos del poeta.

*   *   *

Dos días después Félix Vargas ha ido a ver a Plácida
Valle. La emoción del poeta ha sido tremendo. Ha que-
dado un rato en suspenso, indeciso, puesta su mirada en
los ojos azules y dulces de Plácida. En la mano, el poeta
tenía una caracolita igual, exactamente igual que la suya.
Los mismos puntos negros en el reborde,[33] en una y en otra,
en la de Félix y en la de Plácida.

— ¿Usted, Plácida? ¿Usted? — repetía el poeta — . ¿Era
usted . . . o es usted . . . aquella niña? ¡Qué terribles coin-
cidencias del mundo! No puedo, Plácida; no puedo decir
lo que siento. Me faltan palabras.

Y la mano de Plácida, tan carnosita, tan rosada, tan
suave, se ha posado un momento maternal, amorosa, en
la frente del poeta.

*   *   *

[33] **reborde** edge

De noche. Fuera, tinieblas. En las tinieblas, allá lejos, la luz que brilla, que desaparece, que torna a brillar,[34] del faro. Y el ronco son de las olas, que tan bien se percibe desde la casita de Plácida. La dama está sentada ante una mesa, debajo del ancho y luminoso círculo de la lámpara. Con ella está su fiel y reservada camarista Tomasita. Todo es serenidad y silencio. Por la ventana, abierta de par en par,[35] se ven fulgir las estrellas, rutilantes,[36] en la inmensa bóveda negra.

— La verdad — dice con voz grave y dulce Plácida —, la verdad, Tomasita, es que hemos trabajado bien. ¡Qué afanes y qué trabajos! ¿Eh? Yo creí que no íbamos a poder encontrarla. ¡Cuánto hemos corrido! Pero la caracolita es igual, completamente igual que la de don Félix, con sus pintitas negras ...

[34] torna a brillar shines again
[35] abierta ... par wide-open
[36] rutilantes sparkling

EJERCICIOS

I. Contéstese en español:

1. Descríbase la casa del poeta.
2. Descríbase las escenas que se ven en la playa desde su terraza.
3. ¿Cuándo trabaja el poeta? ¿Por qué?
4. ¿Cómo es Plácida Valle?
5. ¿Tiene significado especial su nombre?
6. ¿Es popular como poeta Félix Vargas?
7. ¿Qué le parecen los públicos grandes?
8. ¿Por qué tiene Vargas la superstición del tiempo?
9. ¿Qué significado tienen para el poeta los dos niños en la playa?
10. ¿Qué cosa encontró mientras rebuscaba papeles en un cajón?
11. Al despedirse Plácida, ¿qué le dijo a Félix?
12. ¿Por qué tenía tanta emoción Félix en la casa de Plácida?

13. ¿Cómo encontró Plácida una caracolita igual a la de Félix?
14. ¿Quién la ayudó a buscar esa caracolita?

II. Otros temas de conversación:

1. La atracción del mar
2. Cómo se divierten los niños en la playa
3. Las caracolas

III. Composición. Tradúzcase al español:

Wouldn't you like to have a beautiful house by the sea like the poet's? His has a large terrace from which one can see the ocean and the children playing in the sand. These children have a good time when the weather is fair, for they spend the whole day on the beach, playing, bathing, letting the waves pursue them, shouting, laughing, and searching for seashells.

Sometimes, if they are lucky, they will come across beautiful little shells. Probably they will put them to their ears to hear the sound of the sea. Mr. Vargas never tires of watching this pleasant scene because it brings back to him memories of his own childhood long ago.

Volátiles

Rafael Maluenda

Rafael Maluenda

RAFAEL MALUENDA (1885–) ranks among Chile's outstanding contemporary short story writers. Born in Santiago, he has dedicated himself to creative writing and journalism, and in recent years has been editor of *El Mercurio*, a leading Santiago newspaper. Many of his most popular stories are in the realistic *costumbrista* tradition. Among his collections of stories are *Escenas de la vida campesina* (1909), *La Pachacha* (1914), and *Colmena urbena* (1937).

In *Volátiles* he displays his keen powers of observation and his shrewd understanding of human nature. The situation in this story, which could easily descend to the vulgar in less artful hands, is manipulated with a light and ironical touch.

Volátiles[1]

Rafael Maluenda

Ricardo llegó a la estación de San Carlos justamente cuando el tren del norte iba a partir: dejó su poncho, y sacudiendo de prisa el polvo de sus polainas [2] se introdujo, con otros dos amigos, en el vagón. Iba a la feria de Parral [3] para una compra de animales; de aquí la razón de por qué [4] — a pesar de su habitual cuidado en el vestir — viajaba en traje de montar: sombrero suelto, corbatín,[5] cazadora [6] y polainas.

Ya en el vagón, echó una ojeada [7] a los viajeros: eran pocos. Pero sus ojos se detuvieron con insistencia en una mujer que ocupaba con sus paquetes, manojos de flores y abrigos, cuatro asientos. Era una bella mujer, de tipo extranjero, alta, bien formada y de ademanes desenvueltos y gráciles.[8] Ricardo la encontró «de todo su gusto»: corres-

---

[1] volátiles fickle
[2] polainas leggings
[3] Parral Chilean town
[4] de aquí ... por qué that is the reason why
[5] corbatín bow tie   [6] cazadora jacket   [7] echó una ojeada glanced
[8] desenvueltos y gráciles spontaneous and graceful

41

pondía a ese tipo femenino que todos los hombres se forjan,[9] y al cual permanecen fieles toda la vida, aunque se muestren inconstantes con las individuas.

Ricardo se colocó cerca del asiento de la viajera, atento para aprovechar la primera coyuntura [10] de conocimiento. No tardó en presentarse: los vaivenes del tren echaron al suelo un paquete que él se apresuró a recoger y poner en su sitio, recibiendo un «muchas gracias» lleno de amabilidad y subrayado por una sonrisa encantadora. Ricardo se deshizo en [11] invectivas contra el servicio ferrocarrilero: malo, accidentado [12] y con un material rodante [13] que ni siquiera deja los paquetes en su sitio. La viajera se puso de acuerdo con él y abundó en reproches contra la empresa causante de los fastidios que venía sufriendo [14] en su largo viaje.

— ¿Viene de dónde?

— De Puerto Varas . . .[15] haciendo etapas . . .

— ¡Caramba!

— Y aburridísima. Por eso le agradezco que me dé la ocasión de charlar. Yo soy una incansable conversadora.

Ricardo hizo a un lado los paquetes y se sentó frente a ella, reconociendo interiormente [16] que, en realidad, la desconocida «era su tipo.»

— ¿Y no tiene miedo?

— No. ¿Por qué? A una mujer nada malo puede sucederle . . .

— Y, sobre todo, a una mujer bonita.

[9] **se forjan** dream up
[10] **coyuntura** opportunity
[11] **se deshizo en** burst into
[12] **accidentado** rough
[13] **material rodante** rolling stock
[14] **que venía sufriendo** which she had been suffering
[15] **Puerto Varas** Chilean town south of the capital
[16] **reconociendo interiormente** admitting to himself

— ¿Bonita? No. Dicharachera [17] y simpática, si así le parece, pero nada más.

Ante aquella salida [18] tan fuera de uso en «modos femeninos,» Ricardo sintió un pequeño calofrío en la médula [19] y se olvidó de la feria de Parral. Cuando el tren piteó al llegar a este pueblo, ella le dijo:

— ¡Qué lástima que «nuestro» viaje haya sido tan corto! ...

El, por decir algo:

— Pero si usted quiere, la acompaño hasta Santiago.[20]

— ¡Qué locura! Molestarse, así. Dejar por mí sus asuntos. A mí, es claro, me encantaría, pero usted ...

Ricardo Zúñiga era un hombre enamorado,[21] aventurero, pero práctico. Sacar boleto hasta Santiago «sin una seguridad de algo» le pareció idiota; por eso compró pasaje hasta Linares,[22] dejando para después lo que las circunstancias le indicaran. De Parral a Linares la amistad se hizo más animada y franca. El puso sitio formal, ella hizo una defensa, pero sugiriéndole ánimos al atacante. Hubo casuales encuentros con los pies, sonrisas perturbadoras, ojos entornados,[23] reticencias, ambigüedades. El tren entró en la estación de Linares, y Ricardo bajó rápidamente para tomar boleto hasta Talca,[24] sin decir palabra a la simpática viajera.

De Linares a Talca la ilusión de Ricardo se fué corporizando.[25] Ella le preguntó casi al secreto:[26]

— Dígame ya que es tan adivinador: ¿Yo seré soltera o casada?

[17] **dicharachera** slangy   [18] **salida** remark
[19] **sintió un pequeño ... médula** felt a little tingle run through him
[20] **Santiago** capital of Chile
[21] **enamorado** susceptible to affairs of the heart
[22] **Linares** city in central Chile south of Santiago
[23] **entornados** half-closed   [24] **Talca** (*see note 22*)
[25] **se fué corporizando** was taking on shape, i.e. was becoming a reality
[26] **al secreto** in a whisper

Ricardo no era zurdo,[27] y la respuesta errada podía hacerle perder terreno. Resolvió responder con gracia y con ingenuidad. Dijo:

— No he tratado de adivinarlo porque no me interesan los detalles.

— ¡Qué bueno! ¿Sabe que usted tiene un cinismo encantador? Pues le diré que soy soltera, pero caprichosa y dueña de mí misma.

— Mejor. Porque las mujeres dan su simpatía por comparación y no teniendo yo «punto obligado»[28] de comparación puedo esperar que usted . . .

Ella riendo lo apostrofó:[29]

— ¡Psicólogo!

Y como se hablaban en voz baja — sin duda, para no interrumpir el traqueteo formidable del tren — los rizos de ella rozaban la frente de él, sus rodillas tomaron contacto y la casualidad puso un instante la mano de él sobre la de ella. ¡Qué hermosa estaba así, con el cabello en desorden, los labios entreabiertos, el jersey dejando ver la albura de su cuello blanco y firme!

Ricardo Zúñiga bajó en Talca y tomó boleto para San Fernando.[30]

Entonces le propuso que — para aliviar el viaje — descendieran en San Fernando, a donde llegarían a las seis de la tarde. Descansarían, comerían en el hotel, conocerían el pueblo y reanudarían viaje por el nocturno [31] que pasa por allí hacia Santiago a las cinco de la mañana.

— ¿Qué tal?

Pero ella dijo que iba a ser una broma [32] movilizar el

[27] **no era zurdo** was nobody's fool

[28] **«punto obligado»** real point (i.e., **yo no soy casado ni tengo novia con quien compararla**)

[29] **apostrofó** cut short

[30] **San Fernando** (*see note 22*)

[31] **el nocturno** the night train

[32] **broma** lot of trouble, nuisance

equipaje; no puso objeción a la idea en globo,[33] pero los detalles — pesados y numerados — la hicieron desistir. El no insistió. Se sentía ya con un pie en la fortaleza y experimentaba ese deseo especial que sobrecoge al enamorado, seguro de su triunfo, de prolongar un poquito más la hora de su victoria.

Por lo demás, se trataban ya como verdaderos cómplices de un común y ardiente propósito.

— ¡Pero, Ricardo! ...

— ¡Vaya,[34] Irene! ...

El, con cierta displicencia [35] se atrevió a fumar. Ella se puso a leer en el mismo diario que él había abierto delante de sí. Y como el diario era una edición dominguera de «El Mercurio» — amplia y gruesa —, sucedía que a ratos [36] parecía un biombo, del cual emergían murmullos y sobrevenían [37] silencios.

¡Un brinco en la estación de San Fernando, y ya Ricardo estuvo otra vez en el tren con boleto hasta Rancagua.[38] Pensó sacarlo de una vez hasta Santiago, pero ... ¿y si en Rancagua los dejaba el tren? ¿Ah? Pero ocurrió que al aproximarse a este último punto, ella recogida [39] y como excusándose, le hizo saber que «una persona» iba — tal vez — a venir a esperarla. Ricardo creyó en un truco,[40] y para pasar de listo hizo como que no creía,[41] como que no le importaba y como que aquello no era para hacerlo desistir. Ella, libre de la preocupación, insistió en la «triste noticia» y para corresponder a la valentía indiferente de su compañero, le insinuó:

[33] **en globo** as a whole, i.e. itself
[34] **Vaya** come, now
[35] **displicencia** confidence, presumptuousness
[36] **a ratos** now and then
[37] **y sobrevenían** followed by
[38] **Rancagua** (*see note 22*)
[39] **recogida** embarrassed
[40] **creyó ... truco** thought it was a trick
[41] **hizo ... creía** pretended not to believe her

— Pero aunque yo me junte con esa persona, siga no más [42] conmigo hasta Santiago ...

— Por supuesto — afirmó él valerosamente.

Y le afirmó su valor con una presión significativa en el brazo, tibio y mórbido. Se había hecho obscuro ...

¡Rancagua!

Ella se puso de pie y salió a la plataforma. Ya estaba allí el tren de Santiago al sur. Y en la plataforma de uno de los carros una figura de hombre parecía esperar. Irene lo llamó:

— ¡Sergio! ... Aquí ...

Y ante la estupefacción de Ricardo que esperaba de pie en el andén, ellos se saludaron efusiva, cariñosa y largamente. Ricardo sintió en todo su ser como un descoyuntamiento:[43] la realidad lo hería, y aunque estaba advertido, todo le cogió de sorpresa y no supo qué decir, qué hacer, qué pensar ...

Unuum ... pan-pan ..., pin-pin. Unuun ...[44]

Antes de que se repusiera, el tren a Santiago había seguido su viaje. Fué entonces cuando pensó en haber seguido tras ella, en cumplir sus indicaciones, en dominar las circunstancias para no dejarse dominar por ellas.

Era tarde. Ya el tren había abandonado la estación.

Y entonces, tal vez recordando su fundo, sus afanes de cazador — ¡qué sé yo! — murmuró dolorido:

— ¡Voló el ganso!

Y con paso tardo, mohino y cariacontecido,[45] tomó boleto de una sola vez [46] para San Carlos.

*   *   *

Cinco días después recibió una carta. Decía:

[42] **siga no más** just come on ahead
[43] **descoyuntamiento** dislocation, i.e. shock accompanied by a feeling of deception
[44] **Unuum ... Unuun** (*nervous mutterings*)
[45] **mohino y cariacontecido** gloomy and woebegone
[46] **de una sola vez** direct

«Querido amigo:

Como a pesar de mi advertencia usted resolvió quedarse en Rancagua, por intermedio de la presente [47] le doy gracias por su grata compañía y las delicadas atenciones que quiso prodigarle a esta viajera desamparada.

Le ruego, además, que si quiere contestar esta carta me informe de su salud y de sus proyectos. — IRENE.»

P.D. — Cuénteme, también, sus impresiones del viaje de vuelta.»

Ricardo comprendió que debía contestar y que debía seguir siendo deferente y galante. Y respondió:

«Inolvidable amiga:

El viaje de regreso tuvo tres diferencias notables con el viaje de ida.

1ª Que en vez de tomar boletos sucesivamente, tomé de una vez uno hasta este rincón de San Carlos.

2ª Que en vez de llevarla a usted «delante» de mí, la traje «dentro» de mí, colocada en el altar del recuerdo.

3ª Y que en lugar de formularle las protestas de mi simpatía, colmé de insultos e imprecaciones al feliz mortal que, tan inoportunamente, rompió mi bella ilusión. — RICARDO.»

[47] la presente (carta)

EJERCICIOS

I. Contéstese en español:

1. ¿Cómo estaba vestido Ricardo en el tren? ¿Por qué?

2. ¿Cuántos asientos ocupaba la bella mujer que le interesaba? ¿Por qué?

3. ¿Cómo empezó la conversación entre los dos?

4. ¿Abundaron en reproches contra qué empresa? ¿Por qué?

5. ¿Hasta dónde iba Ricardo en su viaje?

6. ¿Se bajó allí? ¿Por qué?

7. ¿Por qué seguía Ricardo comprando boletos de una estación a otra?

8. Según Irene, ¿quién iba tal vez a esperarla en Rancagua?
9. ¿Qué pasó en esa estación que le cogió a Ricardo de sorpresa?
10. ¿Por qué no siguió Ricardo a Santiago con Irene?
11. ¿Qué decía la carta de Irene que le llegó cinco días después?
12. ¿Qué decía la posdata?
13. Descríbase la contestación del galán.

II. Otros temas de conversación:

1. Los compañeros de viaje
2. Un viaje por tren
3. Un viaje en coche o en avión

III. Composición. Tradúzcase al español:

Traveling on a train, one meets all kinds of people. Ricardo was happy that such a charming woman was his traveling companion. One of her many packages had fallen from the seat. Ricardo hastened to pick it up for her. She thanked him effusively and thus began their friendship. To break the tiresome journey, Ricardo proposed that they get off at San Fernando, where they would arrive about six o'clock. They would rest and dine there and then continue their trip on the night train for Santiago. Irene objected because all the luggage would be a nuisance. Ricardo got off in Rancagua to buy another ticket, but he was too slow and the train left before he could get back on it.

El drama de las bambalinas

Armando Palacio Valdés

Armando Palacio Valdés

ARMANDO PALACIO VALDÉS (1853–1938) was a very popular
Spanish novelist with a facile pen and a light touch. Among his
best-known novels are *La hermana San Sulpicio* (1889) and *José*
(1885), both of which are regional. He also wrote several collections of short stories: *Aguas Fuertes* (1884), *Cuentos escogidos*
(1923), and *El pájaro en la nieve y otros cuentos* (1925). Though
Palacio Valdés tends to laugh at his characters, nevertheless he
holds them in great affection; this attitude doubtless contributes
to his appeal.

Las bambalinas gives us a dramatic, behind-the-scenes look at a
group of stagehands and actors. Dealing with an illicit affair, the
story moves along in Palacio Valdés' usual sprightly fashion almost
to the end, when the guilty Antoñico gets his comeuppance in a
sudden and tragic denouement.

El drama de las bambalinas [1]

Armando Palacio Valdés

Antoñico era una chispa, al decir de cuantos andaban entre bastidores.[2] No se había conocido traspunte[3] como él desde hacía muchos años. Solamente cuando falleció se estimaron sus servicios en lo que valían. Porque no era traspunte vulgar que con cinco minutos de antelación[4] recorre los cuartos de los actores gritando: «Don José, va usted a salir,» «Señorita Clotilde, cuando usted guste.» Ni por pienso;[5] Antoñico tenía en su cabeza todos los pormenores indispensables para el buen orden de una representación. Dirigía la tramoya[6] con una precisión admirable, daba oportunos consejos al mueblista;[7] hacía bajar el telón sin retrasarse ni adelantarse jamás. Cuando había necesidad de sonar los cascabeles para imitar el ruido de un coche, él los sonaba; si de tocar un pito, él lo tocaba; y hasta re-

---

[1] **bambalinas** flies (the space over the stage in a theater with paraphernalia for handling scenery)

[2] **al decir ... bastidores** according to everybody in the theater wings

[3] **traspunte** prompter [4] **de antelación** in advance

[5] **ni por pienso** by no means [6] **tramoya** stage machinery

[7] **mueblista** man in charge of the sets

doblaba el tambor [8] con asombrosa destreza, apagando el
ruido para hacer creer al espectador que la tropa se iba
alejando. En los dramas en que la muchedumbre llega
rugiendo a las puertas del palacio y amenaza saquearlo,
nadie como él para mucho ruido con poca gente; una
docena de comparsas [9] le bastaban para poner en sobresalto [10] a la familia real: a uno le hacía gritar continua-
mente: «¡Esto no se puede sufrir!» A otro le mandaba
exclamar sin punto de reposo: «¡Mueran los tiranos!» A
otro: «¡Abajo las cadenas!,» etc.; todo en un *crescendo*
perfectamente ejecutado, que infundía pavor no sólo en el
corazón del tirano, sino en el de todos los que se interesaban
por su suerte. Además, sabía arrojar piedras a la escena de
modo que produjesen mucho ruido y no hiciesen daño a
nadie. Algunas veces hizo también escuchar su voz desde
las cajas [11] o desde el sótano en calidad de fantasma. En
fin: más que traspunte debía considerarse a Antoñico como
un actor eminente, aunque invisible.

En el teatro era casi un dictador. Los actores le halaga-
ban, porque les podía hacer daño con un descuido inten-
cionado: la Empresa [12] se mostraba satisfecha de él, y los
dependientes le respetaban y le consideraban como jefe.

Era necesario verle con un reverbero [13] en la mano derecha,
el libro en la izquierda, una barretina [14] colorada en la cabeza
a guisa de uniforme, deslizarse velozmente por los bastidores,
acudiendo a opuestos parajes en nada de tiempo,[15] poniendo
prisa a los empleados, respondiendo al sinnúmero de pre-

---

[8] **redoblaba el tambor** beat the drum
[9] **comparsas** extras
[10] **poner en sobresalto** frighten
[11] **cajas** space between the wings off stage
[12] **Empresa** management
[13] **reverbero** reflector
[14] **barretina** beret
[15] **a opuestos ... tiempo** to places (in the theater) far from each other in
no time at all

guntas que le dirigían y esparciendo órdenes en estilo tele-
gráfico como un general en el fragor de la batalla.

Con todo,[16] Antoñico tenía un grave defecto: le gustaban
demasiado las mujeres. Quizá digan ustedes que este defecto
no es grave. En cualquier otro hombre, convengo en ello;
pero en Antoñico, un funcionario dramático de tal importancia, era un pecado mortal. No hay más que pensar en
que tenía bajo su inmediata inspección a varias actrices
secundarias, o sea racionistas,[17] y que aun las principales
veíanse obligadas a estar con él en una relación constante.
De donde resultaban a menudo algunos disgustillos y des-
órdenes que se hubieran evitado si nuestro traspunte tuviese
un temperamento menos inflamable. Verbigracia: se hubiera
evitado que Narcisa, la jovencita que desempeñaba papeles
de chula,[18] se fuese del teatro dando un fuerte escándalo,
diciendo a quien la quería oír que Antoñico pellizcaba las
piernas a las actrices en las ocasiones propicias; y también
que la mamá de Clotilde, la primera dama,[19] se quejase al
empresario de que Antoñico fuese con demasiada prisa a
levantar a su hija siempre que caía desmayada al terminarse
un acto. Hay que convenir en que todo esto era feo y dañaba
no poco la respetabilidad del traspunte, que, vuelvo a decir,
era, sin disputa, el alma del teatro.

Sucedió, pues, que al medio de la temporada el primer
tramoyista [20] contrajo matrimonio. Era un hombre de unos
treinta años de edad, feo, silencioso, sombrío, ojos negros
hundidos, barba rala y erizada;[21] inteligente con todo y
amigo de cumplir con su deber. La mujer que eligió por
esposa era una jovencita, casi una niña, linda, vivaracha,
nariz arremangada,[22] más alegre que unas castañuelas,[23]

---

[16] **con todo** still							[17] **racionistas** extras
[18] **desempeñaba ... chula** played the parts of flashy women
[19] **primera dama** leading lady			[20] **primer tramoyista** chief stage-hand
[21] **rala y erizada** sparse and bristling			[22] **arremangada** turned up
[23] **más alegre ... castañuelas** bubbling over with joy

perezosa y juguetona como una gatita. Se casó con el
tramoyista ... no sé por qué; quizá por su desahogada [24]
posición (ganaba seis pesetas diarias).

Para no privarse de su compañía un momento, el enamorado marido la trajo al teatro. En los ratos que le dejaban
libre sus ocupaciones, el pobre hombre gozaba con acercarse
a su mujercita y darle un pellizco o un abrazo furtivo. La
muchacha, que no había entrado hasta entonces en la región
de los bastidores, estaba maravillada y contenta al verse
entre aquel bullicio, y pronto fué una necesidad el pasarse
tres o cuatro horas todas las noches vagando por las cajas
y por los cuartos de las actrices, con quienes simpatizó en
seguida.

Antoñico, al verla por primera vez, se relamió como un
tigre atisba la presa.[25] La barretina colorada sufrió un
fuerte temblor, y se dispuso a cobijar un enjambre de pensamientos tenebrosos y lúbricos.[26] Mas como hombre experto
y precavido,[27] guardó sus ideas, contrarias a la unidad de
la familia, debajo de la barretina, y aparentó no fijar la
atención en la presa y dejar que tranquilamente fuese y
viniese a su buen talante.[28]

Sin embargo, una que otra vez,[29] al encontrarse en los
pasillos, le dirigía miradas magnéticas que la fascinaban y
profería unas «Buenas noches» preñadas de ideas disolventes.[30] Como es natural, la bella tramoyista no dejó de
sospechar el género de pensamientos que dentro de la barretina se escondían, y, en su consecuencia, decidió ruborizarse
hasta las orejas siempre que tropezaba con el tigre-traspunte.

---

[24] **desahogada** comfortable
[25] **se relamió ... presa** licked his chops like a tiger watching his prey
[26] **se dispuso ... lúbricos** a swarm of dark and lusty thoughts took hold of
him
[27] **precavido** cautious
[28] **a ... talante** as she pleased
[29] **una que otra vez** now and then
[30] **disolventes** demoralizing

Este avanzó con cautela, paso tras paso. Nada de pellizcos, ni de palabrotas necias, ni de estrujones contra los bastidores; una actitud sosegada, dulce, casi melancólica, adecuada para no espantar la caza; algunas palabritas melosas y furtivas; varios conceptillos aduladores [31] envueltos en suspiros, y cuando todo estaba convenientemente preparado, ¡zas!, el salto que todos conocen: «María, yo muero por usted ... Perdóneme usted el atrevimiento ...; yo no puedo tener escondido por más tiempo lo que siento,» etc.

La vivaracha tramoyista quedó, como era de esperar, entre las uñas del traspunte. Y comenzó para ambos el período de los placeres amargos, la felicidad con sobresalto. Aparentando no mirarse, no se quitaban ojo; fingiendo que apenas se conocían, estaban siempre juntos. ¡El marido era tan sombrío, tan suspicaz! Necesitaban llevar a cabo [32] prodigios de estrategia para no ser advertidos. A veces pasaban cuatro o cinco noches sin poder decirse siquiera una palabra. Puesta en tortura la imaginación, Antoñico ideaba las citas más estupendas y extravagantes; unas veces en el sótano, otras en el cuarto de un actor que estaba en escena; pero todas breves y agitadas, porque el tramoyista era pegajoso [33] como recién casado, y Antoñico no tomaba el aspecto de tigre sino con las damas.

Una noche en que el traspunte se sentía, por el ayuno forzoso de muchos días, más enamorado que otras veces, dijo algunas palabras rápidamente al oído de María y se perdió entre los bastidores. Esta le siguió. Encontráronse en un rincón sombrío cerca del telón de boca;[34] y el traspunte, que conocía el terreno palmo a palmo,[35] cogió de la mano a su querida, separó con la otra un bastidor y penetraron ambos en un recinto estrechísimo formado por telones y

[31] **aduladores** flattering   [32] **llevar a cabo** carry out
[33] **pegajoso** sticky, i.e. never far away from his wife
[34] **telón de boca** front curtain
[35] **el terreno palmo a palmo** every inch of the terrain

bastidores. Antoñico trajo hacia sí el que había separado,
y quedaron perfectamente cerrados. Los amantes pudieron
gozar breves instantes del seguro que la experiencia y habilidad del traspunte habían buscado. En aquel extraño retiro
nadie podía dar con [36] ellos. ¿Nadie? Antoñico vió de improviso,[37] en medio de su embriaguez, que por un agujerito
abierto en el telón, un ojo los observaba, y su corazón de
tigre dió un salto prodigioso dentro del pecho:

— María — dijo con voz temblorosa, imperceptible — ,
estamos perdidos: nos están viendo . . . ¡Silencio! . . .
¿Quieres salir tú primero?

La animosa tramoyista corrió [38] bruscamente el bastidor
y se arrojó afuera. No había nadie. Antoñico salió detrás
con el semblante pintado de interesante palidez. Su primer
cuidado fué buscar por todas partes al tramoyista. Hallá-
ronlo sumamente preocupado porque la chimenea de mármol que debía aparecer en el acto tercero había sido rota
al trasladarla; tanto,[39] que no reparó en su mujer al acercarse.

— ¿Lo ves, hombre — dijo María a Antoñico — , cómo
eres un gallina? A ti el miedo te hace ver visiones.

* * *

Transcurrieron bastantes días. Las adúlteras relaciones
de nuestros héroes seguían la misma marcha dulce y borras-
cosa a la par:[40] sobresaltos, temores, ansias, vacilaciones sin
cuento, regalos, vivos deleites, instantes de dicha, con todo.
Tal es el lote de la pasión criminal. María había olvidado
enteramente el episodio del agujero en el bastidor; Antoñico soñaba todavía algunas veces con aquel ojo fantástico,
escrutador, y despertaba despavorido. Poco a poco se fué

[36] **dar con** come upon   [37] **de improviso** suddenly
[38] **corrió** drew aside
[39] **tanto** so preoccupied
[40] **a la par** at the same time

convenciendo de que había sido una ilusión del miedo, y el miedo abrió paso a la confianza.

Un día dice el tramoyista — Oye, Antoñico: ¿sabes que el tercer telón, el de las columnas, debía colocarse más atrás?

— ¿Pues?

— No hay perspectiva.

— Sí la hay . . . , y, además, tropezaría casi con el lago.

— El lago también puede correrse un poco.

— No hay sitio.

— Tenemos todavía metro y medio.

— ¡Qué hemos de tener,[41] hombre! ¿Lo has medido?

— Sí, lo he medido. ¿Tienes tú ahí el metro?[42] Pues ven a verlo y te convencerás.

El tramoyista emprendió la marcha, y Antoñico le siguió. Subieron por la estrecha y frágil escalerilla que conduce a las bambalinas. Cuando estaban a la mitad de la altura, el tramoyista volvió la cabeza, y sus ojos se encontraron con los del traspunte. ¿Qué había de particular en aquella mirada? ¿Por qué empalidece el rostro de Antoñico? ¿Por qué se le doblan las piernas?

Vacila un instante entre seguir o retroceder; la barretina colorada se detiene y se agita presa de mortal incertidumbre. El tramoyista exclama:

— ¡Diablo de escalera! . . . La subo setenta veces el día y no acabo de acostumbrarme . . .[43] Me moriré del pecho,[44] Antoñico; me moriré del pecho.

El traspunte se siente fortalecido y sigue su camino.

* * *

Se representaba aquella noche un drama histórico, acae-

---

[41] **qué hemos de tener** how can we have
[42] **metro** tape measure
[43] **no acabo de acostumbrarme** I'm still not used to it
[44] **pecho** chest, i.e. a heart attack

cido en tiempo de los godos.[45] El primer galán era un mancebo muy simpático, rebosando de entusiasmo y décimas calderonianas.[46] La primera dama gastaba [47] una túnica muy larga y comenzaba a llorar desde que subían el telón. El barba hacía de [48] rey y debía morir al fin del acto tercero a manos del mancebo de las décimas: buena voz, potente y cavernosa, como convenía a un rey visigodo.

El público aguardaba con impaciencia la catástrofe. Cuando le parecía bien, bostezaba; cuando lo creía necesario, sacaba *La Correspondencia de España* [49] y leía. Había muchas personas que llegaban a desear que el barba cayese pronto bañado en su sangre para escapar a casa y meterse en la cama.

En el acto segundo había un monólogo del rey, de inusitadas dimensiones. El público ya tenía entre pecho y espalda [50] setenta y cinco endecasílabos [51] de este monólogo y se disponía a recibir con resignación otra partida no menos crecida,[52] cuando de pronto . . .

¿Qué ha pasado? ¿Qué sucede? ¿Por qué se levanta el público? ¿Por qué se puebla la escena de gente?

Un bulto, un hombre, acaba de caer de las bambalinas sobre el escenario con espantoso estruendo. Un grupo de gente le rodea en seguida. El público, aterrado, se agita y se alborota; quiere saber lo que ha pasado. Al fin, uno de los actores se destaca del grupo y dice en voz alta que «el traspunte Antonio García, caminando por los telares [53] del teatro, había tenido la desgracia de caerse.»

[45] **godos** Goths, the Germanic invaders who ruled Spain from the fifth to the eighth centuries
[46] **décimas calderonianas** verses of ten line stanzas of Calderón, Spanish dramatist (1600–1681) [47] **gastaba** was wearing
[48] **el barba hacía de** the old man was playing the
[49] **La Correspondencia de España** popular Madrid daily newspaper
[50] **ya ... espalda** had already endured
[51] **endecasílabos** lines of poetry of eleven syllables
[52] **otra ... crecida** another scene just as drawn out
[53] **telares** the upper part of the stage, i.e. the flies

—Pero, ¿está muerto..., está muerto? —preguntaron varias voces.

El actor hace con la cabeza señal afirmativa.

EJERCICIOS

I. *Contéstese en español:*

1. ¿Dónde están las bambalinas en el teatro?
2. ¿Qué fué el trabajo principal de Antoñico en el teatro?
3. ¿Qué otras cosas hacía?
4. ¿Cómo se vestía Antoñico?
5. ¿Cuál era su defecto grave?
6. Descríbase al primer tramoyista.
7. ¿Con quién contrajo matrimonio?
8. ¿Por qué trajo a su mujer al teatro todos los días?
9. ¿Qué pensaba Antoñico de esta joven?
10. Una noche cuando estaban Antoñico y la mujer del tramoyista en un recinto formado por telones y bastidores, ¿qué cosa les dió un susto?
11. ¿Quién les había visto?
12. ¿Era de un temperamento suspicaz el tramoyista?
13. ¿Qué clase de drama se representaba la noche fatal para Antoñico?
14. Descríbase las reacciones del público ante este drama.
15. ¿Quiénes eran los personajes principales del drama?
16. ¿Qué pasó de repente interrumpiendo el monólogo del rey?
17. ¿Cómo ocurrió el accidente?
18. ¿Le parece a usted justo el fin de este cuento?

II. *Otros temas de conversación:*

1. La vida de los actores
2. Una comedia divertida que he visto
3. Una tragedia conmovedora que he visto

III. *Composición. Tradúzcase al español:*

Antoñico was the best prompter in the theater. He was able to keep in his head all the details necessary for the smooth running of the plays. He was considered not only a good prompter, but also a fine actor, even though he didn't appear on the stage during performances.

Sometimes they put on historical dramas. One evening they were performing a play about the Goths. The leading man was a pleasant young fellow. The leading lady wore a long and beautiful tunic and cried a great deal. The king was supposed to die at the end of the last act, and the audience, knowing what was going to happen, waited impatiently for the poor man's death. Suddenly, in the middle of the king's monologue, a man fell on the stage from the flies. It was poor Antoñico.

Historia de un peso falso
Manuel Gutiérrez Nájera

Manuel Gutiérrez Nájera

MANUEL GUTIÉRREZ NÁJERA (1859–1895) was one of Mexico's most celebrated and beloved poets, and is considered one of the principal precursors of the movement called "Modernismo," which dominated the Spanish American literary scene at the turn of the century. His poetry is very lyrical, intensely musical, and essentially romantic.

Gutiérrez Nájera's prose works are also important: chronicles, journalistic sketches, literary criticism, and short stories, most of them published in newspapers. *Cuentos frágiles* (1883) and *Cuentos de color de humo* (1898) show his interest in color and mystery and his search, in exotic places, for an escape from reality. But he also wrote of the Mexico he knew and loved. His *Historia de un peso falso* has become a classic among Mexican short stories. Its theme — the adventures of a counterfeit coin — is presented engagingly, if somewhat sentimentally, with imagination and charm.

Historia de un peso falso

Manuel Gutiérrez Nájera

¡Parecía bueno! ¡Limpio, muy cepilladito,[1] con su águila, a guisa de alfiler de corbata,[2] y caminando siempre por el lado de la sombra, para dejar al sol la otra acera! No tenía mala cara el muy bellaco y el que sólo de vista lo hubiera conocido no habría vacilado en fiarle cuatro pesetas. ¡Pero ... crean ustedes en las canas blancas y en la plata que brilla! Aquel peso era un peso teñido: su cabello era castaño, de cobre, y él por coquetería, porque le dijeran «es usted muy Luis XVI[3] se lo había empolvado.

Por supuesto, era de padres desconocidos. ¡Estos pobrecitos pesos siempre son expósitos![4] A mí me inspiran mucha lástima y de buen grado[5] los recogería; pero mi casa, es decir, la casa de ellos, el bolsillo de mi chaleco, está vacío, desamueblado, lleno de aire y por eso no puedo recibirlos. Cuando alguno me cae, procuro colocarlo en una cantina,

[1] **cepilladito** shiny
[2] **a guisa ... corbata** like a tie-pin
[3] **Luis XVI** King of France (1754–1793)
[4] **expósitos** foundlings
[5] **de buen grado** gladly

en una tienda, en la contaduría [6] del teatro; pero hoy están estas colocaciones por las nubes [7] y casi siempre se queda en la calle el pobre peso.

No pasó lo mismo, sin embargo, con aquél de la buena facha, de la sonrisa bonachona y del águila que parecía de verdad.[8] Yo no sé en donde me lo dieron; pero sí estoy cierto de cuál es la casa de comercio en donde tuve la fortuna de colocarlo, gracias al buen corazón y a la mala vista del respetable comerciante cuyo nombre callo por no ofender la cristiana modestia de tan excelente sujeto y por aquello de que hasta la mano izquierda debe ignorar el bien que hizo la derecha.

Ello es que, como un beneficio no se pierde nunca, y como Dios recompensa a los caritativos, el generoso padre putativo [9] de mi peso falso no tardó mucho en hallar a otro caballero que consintiera en hacerse cargo de la criatura. Cuentan las malas lenguas que este rasgo filantrópico no fué del todo [10] puro; parece que el nuevo protector de mi peso (y téngase entendido que el comerciante a quien yo encomendé la crianza y educación del pobre expósito, era un cantinero) no se dió cuenta exacta que iba a hacer una obra de misericordia, en razón de que [11] repetidas libaciones habían obscurecido un tanto cuanto [12] su vista y entorpecido su tacto. Pero, sea porque aquel hombre poseía un noble corazón, sea porque el cognac predispone a la benevolencia, el caso es que mi hombre recibió el peso falso, no con los brazos abiertos, pero sí tendiéndole la diestra.[13] Dió un

---

[6] **contaduría** box office
[7] **están** ... **nubes** these jobs (placings) are scarce, i.e. it is hard to pass the peso
[8] **del águila** ... **verdad** the eagle which seemed real
[9] **putativo** reputed
[10] **del todo** entirely
[11] **en razón de que** because
[12] **un tanto cuanto** a bit
[13] **la diestra** his right hand

billete de a cinco duros,[14] devolvióle cuatro el cantinero, y
entre esos cuatro, como amigo pobre en compañía de ricos,
iba mi peso.

Pero ¡vean ustedes como los pobres somos buenos y como
Dios nos ha adornado con la virtud de los perros: la fidelidad! Los cuatro capitalistas, los cuatro pesos de plata, los
aristócratas siguieron de parranda.[15] ¡Es indudable que la
aristocracia está muy corrompida! Este se quedó en una
cantina; ése, en la Concordia,[16] aquél en la contaduría del
teatro ... ¡Sólo el peso falso, el pobretón, el de la clase
media, el que no era centavo ni tampoco persona decente,
siguió acompañando a su generoso protector como Cordelia
acompañó al rey Lear.[17] En la Concordia fué donde lo
conocieron; allí le echaron en cara su pobreza y no le quisieron fiar ni servir nada.

¡De veras enternecen estos pesos falsos! Mientras los
llamados [18] buenos, los de alta alcurnia,[19] los nacidos en la
opulenta casa de Moneda,[20] llevan mala vida y van pasando
de mano en mano y desdeñan al menesteroso para irse con
los ricos, el peso falso busca al pobre, y no lo abandona a
pesar del mal trato que éste le da siempre; no sale; se está
en su casa encerradito; no compra nada; y espera, como
solo premio de virtudes tan excelsas, el martirio; la ingratitud del hombre; ser aprehendido, en fin de cuentas,[21]
por el gendarme sin entrañas o morir clavado en la madera
de algún mostrador como murió San Dimas en la cruz.[22]

[14] **un billete ... duros** a five-dollar bill
[15] **de parranda** on a spree
[16] **la Concordia** a restaurant in Mexico City
[17] **Lear** a reference to Shakespeare's play *King Lear* and to the king's
faithful daughter Cordelia
[18] **llamados** so-called
[19] **alcurnia** lineage
[20] **casa de Moneda** mint
[21] **en fin de cuentas** in the end
[22] **San Dimas** the good thief who was crucified at the same time as Jesus

El de mi cuento, sin embargo, había empezado bien su vida. ¡Dios lo protegía por guapo, sí, por bueno, a pesar de que no creyera el escéptico mesero de la Concordia en tal bondad; por sencillo, por inocente, por honrado! A mí no me robó nada; al cantinero tampoco, y al caballero que le sacó de la cantina, en donde no estaba a gusto porque los pesos falsos son muy sobrios, le recompensó la buena obra,[23] dándole una hermosa ilusión; la ilusión de que contaba con un peso todavía.

* * *

El caballero quedó meditabundo por largo rato. ¿Quién le había dado aquel peso? Los recuerdos andaban todavía por su memoria, como indecisos, como distraídos, como soñolientos. Pero no cabía duda: ¡el peso era falso! ¡Y lo que es peor, era el último!

La verdad — se decía — que yo soy un badulaque.[24] Esta tarde recibí en la oficina un billete de a veinte. Y lo malo es que mi mujer esperaba esos veinte. Yo iba a darle quince . . . pero ¿de dónde cojo ahora esos quince?

El caballero arrojó con ira el peso falso sobre el mármol de la mesa. ¡Por poco no se le rompió [25] al infortunado el águila, el alfiler de la corbata!

— Le daré a mi mujer el peso falso para el desayuno, y mañana . . . veremos. ¡Pero no! Ella los suena en el buró y así es seguro que no me escapo de la riña. ¡Maldita suerte!

El pobre peso sufría en silencio los insultos y araños de su padre putativo, escondido en lo más obscuro del bolsillo. Solo, tristemente solo.

El caballero pasó frente a un garito.[26] ¿Entraría? Puede ser que estuviera en él algún amigo. Además, allí lo cono-

---

[23] **buena obra** charity
[24] **badulaque** nincompoop
[25] **por . . . rompió** he almost broke
[26] **garito** gambling den

cían ... hasta le cobraban de cuando en cuando sus quincenas ...[27] Cuando menos [28] podrían abrirle crédito por
cinco duros ... Volvió la vista atrás y entró de prisa como
quien se arroja a la alberca.

El amigo cajero no estaba de guardia [29] aquella noche;
pero probablemente volvería a la una. El caballero se paró
junto a la mesa de la ruleta. No sé qué encanto tiene esa
bolita de marfil que corre, brinca, ríe, y da o quita dinero:
pero ¡es tan chiquitina! ¡es tan mona! Los pesos en columnas, se apercibían a la batalla formada en los casilleros del
tapete verde.[30] Y estaba cierto nuestro hombre de que iba
a salir el 32. ¡Lo había visto! ¿Pondría el peso falso? La
verdad es que aquello no era muy correcto ... Pero, al
cabo,[31] en esa casa lo conocían ... y ... ¡cómo habían de
sospechar!

Con la mano algo trémula, abrió la cartera como buscando
algún billete de banco (que, por supuesto no estaba en casa),
volvió a cerrarla, sacó el peso, y resueltamente, con ademán
de gran señor, lo puso al 32. El corazón le saltaba más que
la bola de marfil en la ruleta.

— ¡TREINTA Y DOS COLORADO!

La bola de marfil y el corazón del jugador se pararon,
como el reloj cuya rueda se rompe. ¡Había ganado! Pero
... ¿y si lo conocían? ¡No a él ... al otro ... al falso!

Nuestro amigo tuvo un rasgo [32] de genio. Recogió su peso
desdeñosamente y dijo al que regenteaba la ruleta:

— Quiero en papel los otros treinta y cinco.

No lo habían tocado. Pagó el *monte*.[33] Uno de veinte,
uno de diez, y otro color de chocolate, con la figura de una

---

[27] **hasta ... quincenas** they even cashed his two weeks' pay checks from
time to time
[28] **cuando menos** at least
[29] **no ... guardia** was not on duty
[30] **se apercibían ... verde** were preparing for battle in the pigeon holes of
the gambling table   [31] **al cabo** after all
[32] **rasgo** stroke   [33] **monte** bank

mujer en camisón y que está descansando de leer,[34] separada por estas dos palabras: *Cinco pesos*, del retrato de una muchacha muy linda, a quien el mal gusto del grabador le puso un águila y una víbora en el pecho. El de a diez y el color de chocolate eran para la señora que suena los pesos en la tapa del buró. El de a veinte era el que el día siguiente se convertiría en copas, en costilla a la milanesa,[35] y por remate,[36] en un triste y desconsolado peso falso.

¡Qué afortunados son los pesos falsos y los hombres pícaros!

Los que estaban alrededor del tapete verde hacían lado al dichoso punto [37] para que entrase en el ruedo y se sentara. Pero él fué prudente, tuvo fuerza de ánimo, y volvió la espalda a la traidora mesa. Cuando se sintió en la calle con su honrado, su generoso peso falso, que había sido tan bueno, rebosaba alegría nuestro amigo. Ya era tan bueno como el peso falso, aquel honrado e inteligente caballero. Habría prestado un duro a cualquier amigo pobre; habría repartido algunos reales entre los pordioseros; caminando aprisa, aprisa por las calles, pensaba en su pobrecita mujer, que es tan buena persona y que lo estaría esperando ... para que le diera el gasto.[38]

Al torcer una esquina, tropezó con cierto muchachito que voceaba [39] periódicos y a quien llamaban el inglés. Y parecía inglés, en verdad, porque era muy blanco, muy rubio y hasta habría sido bonito con no ser [40] tan pobre. Por supuesto, no conocía a su padre ... era uno de tantos pesos falsos humanos, de ésos que circulan subrepticiamente por el mundo y que ninguno sabe en dónde fueron acuñados. Pero a la

---

[34] **está ... leer** resting from her reading
[35] **costilla a la milanesa** breaded veal cutlet
[36] **por remate** finally
[37] **punto** gambler
[38] **gasto** money for expenses
[39] **voceaba** was hawking
[40] **con no ser** if he weren't

madre, ¡sí la conocía! Los demás decían que era mala. El
creía que era buena. Le pegaba. Ese sería su modo de acariciar. También cuando no se come, es imposible estar de
buen humor. Y muchas veces aquella desgraciada no comía.
Sobre todo, era la madre; lo que no se tiene más que una
vez. El amaba mucho a la mamá y a la hermanita, la que
vendía billetes [41] ... a ésa que llamaban la francesa.

La madre, para él, era muy buena; pero le pegaba, cuando
no podía llevarle el pobre una peseta.[42] Y aquella noche
estaba el chiquitín, con el *Nacional*, con el *Tiempo de mañana*, pero sin un centavo en el bolsillo de su desgarrado
pantalón. No compraba periódicos la gente. Y no se
atrevía a volver a su accesoria,[43] no por miedo a los golpes,
sino por no afligir a la mamá.

Tan pálido, tan triste lo vió el afortunado jugador, que
quiso, realmente quiso, darle una limosna. Tal vez le habría
comprado todos los periódicos, porque así son los jugadores
cuando ganan. Pero dar cinco pesos a un perillán de esa
ralea [44] era demasiado. Y el jugador había recibido los
treinta y cinco en billetes. No le quedaba más que el peso
falso.

Ocurriósele entonces una travesura: hacer bobo al muchacho.

— Toma, inglés, anda. Emborráchate.

¡Y allá fué el peso falso!

Y no, el muchacho no creyó que lo habrían engañado.
Tenía aquel señor tan buena cara como el peso falso. Si
hubiera recibido esa moneda para devolver siete reales y
medio, cobrando [45] el *Nacional* o el *Tiempo de mañana*, la
habría sonado en las losas del zaguán, cuyo umbral [46] le

---

[41] **billetes** lottery tickets
[42] **peseta** Mexican coin worth 25 centavos
[43] **accesoria** cheap living quarters
[44] **perillán de esa ralea** rascal of that kind
[45] **cobrando** collecting for   [46] **umbral** threshold

servía casi de lecho; habría preguntado si era bueno o no al abarrotero que aun tenía abierta su tienda. Pero ¡de limosna! Brillaba tanto en la noche. ¡Qué buen señor! ... ¡Habría ganado un premio en la lotería! ... Sería muy rico ...

Le había dicho: — Anda, ve y emborráchate. — Pero así dicen todos.

Recogió el arrapiezo [47] los periódicos, y corriendo como si hubiera comido, como si tuviera fuerzas, fué hasta muy lejos, hasta la puerta de su casa. No le abrieron. La viejecita se había dormido cansada de aguardar al inglesito. Pero ¿qué le importaba a él dormir en la calle? ¡Si lo mismo [48] pasaba muchas noches! ¡Y al día siguiente no lo azotarían! Llegaba rico ... ¡con un peso!

Allí, en el zaguán, encogido [49] como un gatito blanco, se quedó el muchacho dormido, apretando con los dedos de la mano derecha aquel sol, aquella águila, [50] aquel sueño. Durmió mal, no por la dureza del colchón de piedra, no por el frío, no por el aire, porque a eso estaba acostumbrado, pero sí porque estaba muy alegre y tenía mucho miedo de que aquel pájaro de plata se volara. Además, el inglesito quería soñar despierto, hablar en voz alta sus ilusiones.

Primero, el desayuno ... Bueno, un real para los tres. Pero los pesos tienen muchos centavos, y hacía tiempo que el inglesito tenía ganas de tomar un tamal con su *champurrado*. [51] Bueno: real y tlaco. [52] Quedaba mucho, mucho dinero ... No, él no diría que tenía un peso ... Aunque le daban tentaciones muy fuertes de enseñarlo, de lucirlo, de sonárselo, como si fuera una sonaja, [53] a la hermanita,

---

[47] **arrapiezo** ragamuffin
[48] **si lo mismo** why the same thing   [49] **encogido** curled up
[50] **sol, águila** (the sun appears on one side of the peso, the eagle on the other)
[51] **champurrado** thick chocolate drink
[52] **tlaco** Mexican coin worth $\frac{1}{8}$ of a real
[53] **sonaja** rattle

de que lo viera la mamá y pensara: «Ya puedo descansar, porque mi hijo me mantiene.» Pero en viéndolo, en
tomándolo,[54] la mamá compraría un real [55] de tequila. Y
el muchacho tenía un proyecto atrevido: gastar un real,
que iba a ser de tequila, en un billete. Y, sobre todo, re-
cordaba el granuja [56] que debían unos tlacos en la panadería,
otros en la tienda ... y no era imposible que la mamá los
pagara si él le diera el peso. ¡Reales menos!

No. Era más urgente comprar manta para que la hermanita se hiciera una camisa. La pobrecilla se quejaba
tantísimo del frío. Decididamente, a la mamá cuatro reales,
un tostón ...[57] y los otros cuatro reales para él, es decir,
para el tamal, para el billete, para la manta ... y quién
sabe para cuántas cosas más. ¡Puede ser que alcanzara hasta
para ir al Circo!

¿Y si ganaba $300.00 en la lotería con ese real? ¡Tres-
cientos pesos! ¡No se han de acabar nunca! Esos tendría
el señor que le dió el peso.

* * *

Vino la luz, es decir, ya estaba para llegar, cuando el
muchacho se puso en pie. Barrían la calle. El rapazuelo [58]
no quiso todavía entrar a su casa. Necesitaba cambiar el
peso. Llegaría tarde, a las seis, a las siete; pero con un
tostón para la madre, con manta, con un bizcocho para la
francesita y con un tamal en el estómago. Iba a esperar a
que abrieran cierto tendajo, en el que vendían todo lo más
hermoso, todo lo más útil, todo lo más apetecible para él:
velas, santos de barro, cohetes,[59] soldaditos de plomo, cara-

---

[54] **en viéndolo, en tomándolo** (= al verlo, al tomarlo) **En** is the only prepo-
sition in Spanish occasionally followed by a gerund.
[55] **un real** a real's worth
[56] **granuja** waif
[57] **tostón** Mexican coin worth ½ peso
[58] **rapazuelo** youngster
[59] **cohetes** skyrockets

melos, pan, estampas, títeres ...[60] ¡Cuánto se necesitaba
para vivir! Y precisamente en la puerta se sentaba una
mujer detrás de la olla de tamales.

Ya el tendajo estaba abierto. Y lo primero, por de contado,[61] fué el tamal ... y no fué uno, fueron dos: ¡al fin
estaba rico! Y tras los tamales, un bizcocho de harina y
huevo, un rico bollo que sabía a gloria.[62] Querían cobrarle
adelantado; pero él enseñó el peso con majestuosa dignidad.

— Ahora que compre manta, cambiaré. Y pidió dos varas
de manta; compró un granadero de barro [63] que valía cuartilla [64] y al que tuvo la desdicha de perder en su más tem-
prana edad, porque al cogerlo, con la mano convulsa de
emoción, se le cayó al suelo; le envolvieron la manta en
un papel de estraza,[65] y él, con orgullo, con el ademán de
un soberano, arrojó por el aire el limpio peso, que al caer en
el zinc del mostrador, dió un grito de franqueza, uno de
esos gritos que se escapan en los melodramas, al traidor, al
asesino, al verdadero delincuente. El español había oído
... y atrapó al chiquitín por el pescuezo.

— ¡Ladroncillo! ¡Ladrón! ¡Vas a pagármelas!

* * *

¿Qué pasó? El muñeco roto, hecho pedazos,[66] en el
suelo ... la india que gritaba ... el gachupín estrujando [67] al pobre chico ... la madre, la hermanita, la
francesita allá muy lejos ... más lejos todavía las ilusiones ... ¡y el gendarme muy cerca!

¡Señor! Tú que trocaste el agua en vino: ¿por qué no te

[60] **títeres** puppets
[61] **por de contado** naturally
[62] **sabía a gloria** tasted heavenly
[63] **granadero de barro** clay soldier
[64] **cuartilla** small silver Mexican coin
[65] **papel de estraza** coarse brown paper
[66] **hecho pedazos** in pieces
[67] **el gachupín estrujando** the Spaniard roughly handling

dignaste convertir en bueno el peso falso de ese niño? ¿Por qué en manos del jugador fué peso bueno, y en manos del desvalido [68] fué un delito? Tú que cegaste a Saulo en el camino de Damasco, [69] ¿por qué no cegaste al español de aquella tienda?

[68] desvalido destitute one
[69] a Biblical reference to the blinding of Saul on the road to Damascus (Acts, 9)

EJERCICIOS

I. Contéstese en español:

1. ¿Cómo se veía el peso falso?
2. ¿Dónde nacen los pesos buenos?
3. ¿Tenía mucho dinero el caballero que entró en el garito?
4. ¿Había muchos pesos en la mesa de la ruleta?
5. ¿El jugador estaba cierto que iba a salir qué número?
6. ¿Qué hizo el jugador con el peso falso?
7. ¿Era muy listo este jugador? ¿Por qué?
8. ¿Cuánto dinero ganó con su buena suerte?
9. Descríbase los billetes que recibió el caballero.
10. ¿Por qué le dió al muchachito el peso falso?
11. Descríbase la vida del muchacho.
12. ¿Qué hacía su hermanita, la francesa, para ganar algo?
13. ¿Por qué el muchacho no sonó el peso en las losas del zaguán para saber si era bueno o no?
14. ¿Dónde durmió el muchacho esa noche?
15. ¿Qué cosas compró con el peso al amanecer? ¿Por qué?
16. ¿Por qué no le había dado el peso a su mamá?
17. ¿Cómo es que reconocieron el peso falso en la tienda?
18. ¿Qué pasó entonces al muchacho?

II. Otros temas de conversación:

1. Los muchachos que venden periódicos por la calle
2. La vida de los jugadores
3. La importancia del dinero

III. Composición. Tradúzcase al español:

It is not easy to pass off false coins. Sometimes they look like the real ones which come from the mint. Nevertheless, they have a false ring which will betray them. But in this story a gambler is very lucky. All the money he has left is the false peso. He dares to put it on 32 red at the roulette table. As he watches the ivory ball his heart beats fast. Finally the ball stops and the gambler wins. He picks up his false peso and asks for the rest in paper money. Then he leaves, his wallet full of money. He is very grateful to the false peso, which he gives to a little ragamuffin who is out on the street selling newspapers. Unfortunately for the boy, he isn't as lucky as the gambler. When he tries to buy some things, the storekeeper discovers that the peso is false.

La licorera

Conrado Nalé Roxlo

Conrado Nalé Roxlo

The Argentine CONRADO NALÉ ROXLO (1898–) has attained distinction as a poet with *El grillo* (1923), *Claro desvelo* (1937), and *De otro cielo* (1952), and as a dramatist with the gay and sparkling *La cola de la sirena* (1941), *Una viuda difícil* (1944), and *El pacto de Cristina* (1945). Though usually serious in his poetry, Nalé has turned out a series of books in prose infused with a delightfully sharp humor: *Cuentos de Chamico* (1941), *El muerto profesional* (1943), *Cuentos de cabecera* (1946), and *Antología apócrifa* (1943), which parodies in short sketches the styles of many famous writers.

La licorera is taken from *Mi pueblo*, a collection of entertaining little tales, anecdotes, and chronicles of life in a small Argentine town during the early years of this century.

La licorera [1]

Conrado Nalé Roxlo

Hizo su aparición en el pueblo en 1906 y de ello hay constancia en la prensa local.

Despertó variados comentarios. La modista francesa dijo textualmente: — Ella está una expresión tres remarcable del art noveau.[2]

Yo pensé que era tan entretenida como una función del circo. Y hasta don Pepe Camueso, que había corrido mucho mundo [3] y no era hombre de apabullarse por nada,[4] exclamó al enfrentarse con ella: — ¡El copón! [5]

La señorita Italia Migliavacca, siempre culta y un tanto [6] hiperbólica, dijo que era el más bello espectáculo de la naturaleza salido de la mano del hombre que le había sido dado contemplar, omitiendo, claro está, las puestas de sol.

[1] **licorera** a utensil for holding liquor glasses, usually in the form of a double-tiered tray.

[2] **ella ... noveau** a mixture of French and Spanish. She means: «Es una expresión muy notable del arte nuevo.»

[3] **que ... mundo** who had seen a lot of the world

[4] **de apabullarse por nada** easily squelched

[5] **copón** huge goblet

[6] **un tanto** rather

Intentaré la descripción de aquella licorera magnífica, aunque para hacerlo mejor me valdría una bien cortada péñola [7] con su estilo correspondiente y no la apresurada máquina de escribir que me ha deparado el siglo. Comenzaba en un gran plano de cristal que figuraba un estanque, en cuyo borde se reclinaban en caprichosas posturas seis amorcillos que flechaban a otros tantos [8] cisnes que nadaban entre flores de loto. Del centro de aquel ambiente lacustre [9] se elevaba una torre circular (la botella), de cuyas seis ventanas ojivales [10] salían seis brazos femeninos curvados hacia arriba, en los que se enganchaban otros seis brazos que eran las asas de los vasitos. Pero la torre continuaba un piso más y remataba en un campanario, del que colgaba, a guisa de campana, otro vasito.

— Por si viene algún invitado de más [11] — comentó una señora.

Del color no me atrevo a hablar, pues la paleta de los pintores más delirantes habría palidecido de impotencia ante los tonos, los semitonos y los contratonos de todos los colores imaginables y de algunos más que embellecían el conjunto.

Le fué regalada por el padrino al matrimonio Espeleta-Pangallo, y en la mesa de los regalos hizo empequeñecerse y palidecer a los más audaces centros [12] de mesa de la época.

Después fué apareciendo en todos los casamientos de alguna importancia, ya que en mi pueblo se practicaba la saludable y económica costumbre de hacer circular los regalos como si fuera el mate.[13]

Las primeras veces, los cronistas sociales la volvían a

[7] una ... péñola a good quill pen
[8] amorcillos ... tantos little Cupids who were aiming their arrows at an equal number of
[9] lacustre lacustrine (pertaining to lakes)
[10] ojivales ogival, i.e. with pointed arches
[11] por ... más just in case an extra guest turns up   [12] centros centerpieces
[13] mate Paraguayan tea (common beverage in Argentina)

describir, pero llegó a ser tan popular que pronto decían
sencillamente una licorera artística, y más adelante la
licorera. Ya todos sabíamos de qué se trataba.

Ella daba el tono de nuestra vida social pues sólo circulaba entre las familias bien.[14] Cuando alguien se sentía
magnánimo y quería elevar de categoría a una nueva
familia le mandaba la licorera y ya estaba incorporada
de hecho [15] a la «élite» del pueblo.

Esto se tomaba tan en serio, que una vez en que por
error no se anotó su presencia en un casamiento, la pareja
interesada pidió al diario una aclaración, que se publicó,
como es natural, con el título de «Como se pide.» [16]

Por la ausencia de la licorera en la lista de regalos, se
supo que los Formica estaban enemistados con los Zamudio.
Y tres años después su aparición en una boda anunció la
reconciliación de ambas familias.

Pero muchas otras cosas podían saberse en mi pueblo por
boca de [17] la licorera. Según se presentara brillante o deslucida [18] se juzgaba hacendosa o dejada [19] a la señora que la
regalaba.

Una vez fué causa de gran escándalo.

Julián Martirena se había casado con Teclita Revechino
un año antes y recibido la licorera, que a su vez [20] obse-
quiaron a otra pareja contrayente.[21] Pero, ¡ay!, faltaba un
vasito.

Corrieron los comentarios:

— ¡Qué temeridad, al año de casados [22] y ya se tiran las
cosas a la cabeza!

— Es que ese Martirena siempre fué un tarambana.[23]

---

[14] **bien** of the upper class   [15] **de hecho** in fact
[16] **«Como se pide»** disavowing responsibility (**como se nos pide, lo publi-
camos**)
[17] **por boca de** through   [18] **deslucida** tarnished
[19] **dejada** slovenly   [20] **a su vez** in their turn
[21] **pareja contrayente** pair contracting marriage
[22] **al ... casados** just married a year   [23] **tarambana** unstable

—Dispénseme, pero Julián siempre fué un excelente muchacho, lo que pasa es que esa Tecla nunca sonó bien.[24]

—Sale a [25] la madre.

—Pero, señoras — intervino don Pepe Camueso, que era hombre caritativo —, ¿no puede haberse roto el vaso al desengancharlo?

A nadie se le había ocurrido que aquellos vasos pudieran desengancharse para servir un licor, pues la operación era tan complicada como la de desenganchar un vagón de tren.

Los comentarios llegaron a oídos de Teclita, que tuvo un berrinche [26] y lo mandó a Julián a pedir explicaciones. Las explicaciones terminaron en palos [27] y en una infinidad de trapitos sacados al sol en la punta de [28] enconadas lenguas. Y el pueblo supo de otra de sus clásicas divisiones.

La verdad es que el vasito lo había roto el gato, pero ¡cómo echarle la culpa al gato! Es un recurso tan socorrido . . .[29]

Y allí terminó la carrera del artefacto, que no volvió a aparecer en ningún casamiento y se perdió en la noche de algún cuarto de cachivaches.[30] Otros tiempos venían y con ellos otros regalos.

[24] **esa . . . bien** that Tecla was always a little off (a play on words: **tecla** = piano key; **sonar** = to sound)
[25] **sale a** she takes after
[26] **berrinche** tantrum
[27] **palos** blows
[28] **trapitos . . . punta de** dirty linen aired by
[29] **socorrido** overworked
[30] **cachivaches** junk

EJERCICIOS

I. Contéstese en español:

1. ¿Qué es una licorera?
2. ¿Cuándo tiene lugar este cuento?
3. ¿Cómo es la licorera de este cuento?
4. ¿De qué colores era?
5. ¿Por qué circulaba la licorera de matrimonio en matrimonio?

6. ¿Entre qué familias circulaba?

7. ¿Qué cosas podían saberse en el pueblo por boca de la licorera?

8. ¿Cómo se rompió uno de los vasos?

9. Según la gente, ¿cuál fué la causa del vaso roto?

10. ¿Qué se hizo de la licorera al fin?

11. ¿Por qué ya no le interesaba a la gente?

II. Otros temas de conversación:

1. Los regalos de boda
2. La gente chismosa
3. Las mujeres hacendosas

III. Composición. Tradúzcase al español:

Wedding presents can be very odd. Frequently gifts are given to newly-weds that are neither useful nor decorative. One young couple I know received five coffee pots. They took most of them back to the stores and bought other things that they needed. However, one must take care not to offend the donors. Truly, it is a delicate matter.

If Aunt Mary arrives for a visit and finds that the beautiful old clock she gave you is nowhere to be seen, it is probable that she will be annoyed. In such a case, what does one do? You might tell her that it ran too fast and is at the jeweler's being repaired.

El hombre de medianoche

Juan Marín

Juan Marín

JUAN MARÍN (1900–) is a Chilean author who has also been a surgeon, a professor of medicine at the University of Chile, and a diplomat in China, El Salvador, Egypt, Syria, and India. At present, he is a director of the Pan American Union in Washington.

A fecund writer, Marín has published medical and scientific works, books on China (*El alma de China, Mesa de Mah Jongg*) which reflect his oriental interests, novels, and short stories. Generally considered his best works are *Paralelo del sur* (1936), a novel about life in the southernmost tip of Chile; and *Cuentos de viento y agua* (1949), stories of mystery and scientific fantasy; and naturalistic studies of social significance.

Marín's yeasty imagination is allowed full play in *El hombre de medianoche*, which presents a fantastic character who lives in the world of Time rather than Space. This unusual person philosophizes to a puzzled and fascinated listener about the advantages of his world.

El hombre de medianoche

Juan Marín

Cada noche, al bajar de mi barco, en los malecones de Glasgow,[1] dirigía mis pasos a la taberna del viejo Pat O'Sullivan, conocido por todos los navegantes de los cuatro océanos como el hombre que expende la mejor cerveza negra del mundo, tras el legendario mesón de su «Green Parrot's Inn.»

Habíamos hecho una larga travesía desde el Canadá y estábamos allí con nuestro «Princess Elizabeth,» para repararlo en los astilleros[2] de «MacCarty and Co.» Llevábamos ya un mes atracados[3] al «Dockyard 55» del lado sudoeste del puerto y tendríamos que estar todavía un par de meses más, por lo menos, mientras duraran los trabajos. En un buque reinaba todo el día un ruido infernal de martillos, fierros, clavos, soldaduras y cuantos demonios inventó la mecánica para atormentar los oídos del hombre desde los lejanos tiempos del Pecado Original hasta nuestros días. Nuestra estadía en el puerto escocés no era, pues, todo lo

[1] **Glasgow** largest city in Scotland
[2] **astilleros** shipyards
[3] **Llevábamos ... atracados** we had been moored for a month

grato que [4] pudiera imaginarse y el sobrecargo [5] del «Princess Elizabeth,» que era dado a la poesía, solía decir que fué en circunstancias parecidas a las nuestras que Rimbaud encontró título apropiado para su célebre libro de poemas «Saison en Enfer.» [6] Para mí, que nunca amé otra música que la gran sinfonía de los mares, esa música suave y sutil que se escucha desde el puente de gobierno [7] en la calma de las noches tropicales o bien [8] esa orquestación solemne y grave que nos envuelve en medio del furor de la tormenta desatada, aquellos ruidos pequeñitos y destemplados, [9] hostiles en su esencia y agresivos en su espíritu mismo, me resultaban insoportables, pinchaban mis tímpanos [10] con la crueldad de esas largas agujas que se describen en los suplicios chinos.

Los hombres de «MacCarty and Co.» tenían orden de terminar su trabajo en un plazo fijo y perentorio, [11] de modo que trabajaban día y noche, turnándose por equipos de seis en seis horas. [12] No había pues tregua para nosotros, no había un solo instante libre de aquella agresión auditiva sin precedentes.

Para no volverme loco, apenas terminada mi guardia de Segundo Piloto, [13] me encaminaba a la taberna del viejo Pat para beber, junto con mi vaso de cerveza negra, otro largo vaso de silencio. Tenía yo los nervios destemplados. [14] Sentía un desasosiego absurdo y las más extrañas ideas

[4] **todo lo grato que** as pleasant as
[5] **sobrecargo** purser
[6] **«Saison en Enfer»** *Season in Hell*, by the French poet Arthur Rimbaud (1856–1891)
[7] **puente de gobierno** main bridge
[8] **o bien** or else
[9] **destemplados** inharmonious, i.e. unpleasant
[10] **pinchaban mis tímpanos** pierced my eardrums
[11] **plazo ... perentorio** fixed and incontrovertible time limit
[12] **turnándose ... horas** alternating teams (crews) every six hours
[13] **Segundo Piloto** second mate
[14] **destemplados** on edge

pobloban mi mente, llenaban mi cabeza como una danza de grandes escafandras de buzo [15] que emergieran de la profundidad de un mar lívido y convulso para ejecutar con sus miembros toscos [16] y pesados una fantástica danza macabra. Esas ideas parásitas y devoradoras se relacionaban casi todas con nociones de sonidos, así por ejemplo, creía yo a veces que a través de mis oídos hablaban todos los teléfonos del mundo, otras veces sentía que mi cerebro era una inmensa central de radio-telegrafía o un telar de radar sacudido por ondas invisibles. Evidentemente andaba bordeando ya [17] la locura.

Una noche, después de haber bebido mis seis vasos de «black beer,» regresaba a bordo a eso de las once, con la cabeza bastante embotada,[18] lo confieso, pero no por culpa de la cerveza de Pat sino más bien a causa de un tabaco que ciertos marineros finlandeses habían obsequiado al viejo O'Sullivan, habiéndolo traído de quién sabe dónde.

Caminaba yo por la King's Street, una de las calles más angostas y más viejas del suburbio marítimo de la ciudad, cercana a los astilleros, cuando me di cuenta de que un extraño sujeto se había puesto a caminar detrás de mí y venía dándome alcance.[19] Parecía encontrarse muy excitado pues lo oí varias veces monologar a mis espaldas. Viendo que evidentemente era yo el objetivo de su marcha, me detuve y lo enfrenté. Era un hombre bajo, sin edad definida, muy delgado y tenía el rostro demacrado,[20] uno de esos rostros que infunden inquietud por su extraña inmovilidad y fijeza como los rostros del «Museo de Figuras de Cera de Mme. Tussaud» en Londres.[21] El me miró de alto a bajo, sacó en

---

[15] escafandras de buzo divers' suits
[16] miembros toscos gross legs
[17] andaba bordeando ya was on the verge of
[18] embotada fuzzy
[19] venía ... alcance was overtaking me
[20] demacrado emaciated
[21] Mme. Tussaud's famous waxworks in London

seguida su reloj, me pidió el mío — que era un grueso reloj de bolsillo obsequio de mi padre — lo examinó con detención y luego me lo devolvió con un gesto de gran desilusión.

— Perdone, me he equivocado: su reloj marca también las horas.

— ¿Cómo dice? — le pregunté . . . — Pues, ¿qué querría usted que marcara? ¿Acaso el precio de las naranjas en «Market Street» o el de las escobillas de dientes [22] en los almacenes de «Five and Ten»?

— Le he pedido que me perdone y eso debería bastarle, señor, — dijo con tono solemne mi desconocido interlocutor . . . — Me he equivocado, me pareció que usted era de los de mi clase.

— ¿Cómo? ¿Qué dice usted?

— No vale la pena explicarme. ¡Usted no podría comprenderme! Busco a uno de los míos. Tenía necesidad de encontrarme con algún ser que, como yo, viviera . . .

Viendo la gran excitación en que el personaje iba entrando, me sentí yo también conmovido. Ya he dicho que mis nervios tampoco andaban muy perfectos y ahora, había además el tabaco aquel de los finlandeses que ponía una espesa cortina de nieblas en mi cabeza.

— Si usted acepta mi invitación — le dije — podríamos entrar un rato al «Green Parrot» de Pat O'Sullivan que no queda lejos de aquí y, frente a una botella de cerveza negra, quizás logre yo comprenderlo.

— ¿Me invita usted?

— Si usted dispone del tiempo necesario.

— ¿Que [23] si yo dispongo del tiempo . . .? — me replicó con viveza mi interlocutor. — ¿Que si yo dispongo del tiempo? Pues, bien, vamos a la taberna.

Volvimos sobre [24] nuestros pasos y entramos en la taberna

---

[22] **escobillas de dientes** toothbrushes
[23] que *omit in translation*
[24] **Volvimos sobre** we retraced

donde los marineros seguían haciendo hablar a sus pipas en lenguas de humo y silencio y se emborrachaban con esa embriaguez de alma adentro,[25] que es la peor de las embriagueces.

Nos acomodamos [26] en un ángulo del salón y habiendo pedido al mozo una botella de cerveza y dos vasos, invité a mi compañero a servirse.

— Gracias, yo no bebo, — me respondió friamente —. Lo he acompañado sólo para confiarle un secreto. Y nada más. Me decía usted hace unos instantes que si yo disponía del tiempo necesario. Pues bien, yo debo decirle, yo puedo decirle que, ¡yo soy dueño del Tiempo!

Aquí tengo que habérmelas con [27] un loco rematado, — me dije para mis adentros [28] al escuchar tales palabras —. ¡En buena me he metido! [29] ¡A ver cómo me libro yo ahora del cliente este!

Apuré mi vaso de cerveza mientras mi interlocutor me miraba con ojos de extraña fijeza, tratando de descubrir en mis facciones el efecto producido por sus frases.

— Y usted, señor, ¿de dónde es? ¿Cuál es su nombre? — le pregunté.

— ¿Yo? — dijo enfáticamente — ¿Yo? Yo no tengo nombre y en cuanto a [30] mi origen le diré simplemente que soy de Medianoche.

— ¿Cómo? — le interrumpí dando un puñetazo sobre la mesa —. Pensé que la cerveza comenzaba decididamente a subírseme a la nuca.[31]

— Sí, señor, ¡usted lo ha oído!

---

[25] **se emborrachaban ... adentro** intoxicated themselves with their own thoughts
[26] **nos acomodamos** we sat down
[27] **habérmelas con** to deal with
[28] **me ... adentros** I said to myself
[29] **¡En buena ... metido!** A fine mess I've got into!
[30] **en cuanto a** as for
[31] **subírseme a la nuca** to go to my head

— Creo no haberle oído bien: ¿dice usted que es de ...?

— Como lo oye, señor, de Medianoche. De allí exactamente.

Guardó un corto silencio y luego prosiguió:

— Pues, sí, señor, aunque usted no lo crea, soy simplemente de Medianoche. Soy un hombre de Medianoche, así
como usted es o será de Valladolid o de Edimburgo, y el de
más allá de Marsella o Shanghai.[32] Yo vivo en el tiempo,
así como ustedes viven en el espacio.

— Lo confieso que mi ciencia no es tanta como para entender eso que usted me dice — apunté.

— Su ciencia. ¡Famosa ciencia la suya!, usted es marino,
usted es navegante, ¿no es cierto? Usted ignora la existencia
— la ignora o quizás aún la niega — de seres diferentes a
usted: pues bien, hay hombres del tiempo, sin ubicación [33]
posible en el espacio, ajenos al espacio, refractarios [34] al
espacio, enemigos del espacio. Yo soy uno de ellos. En el
espacio yo no podría vivir, del mismo modo que un pez no
puede vivir fuera del agua. Yo soy del Tiempo. Y dentro
de las ubicaciones del tiempo, yo soy de Medianoche ...
Otros habrá de mediodía, otros de las tres de la tarde o de
las nueve de la mañana ...

— Un ser del tiempo — repetí yo como un eco.

— Sí, señor, un ente puramente cronológico. ¿Ve usted
mi reloj? Tenga la bondad de sacar el suyo: mientras en
su reloj las agujas [35] le marcan las horas y minutos, el mío
da los meridianos y los paralelos. Yo leo aquí la longitud y
la latitud de «mi tiempo.» ¡Y cuánto más lógico es «mi»
vivir, mi dimensión de vida que la suya! ¿No es acaso más
noble, más grande, más vasto el tiempo que el espacio? Yo
puedo decir que vivo en el infinito mientras que usted está

---

[32] Valladolid, Spain; Edinburgh, Scotland; Marseilles, France; Shanghai,
China
[33] **ubicación** location   [34] **refractarios** rebellious
[35] **agujas** hands

siempre dentro de lo limitado, aprisionado por las dimensiones.

— Es extraño — dije — todo lo que usted me dice.

— Extraño, sólo aparentemente. Escúcheme: yo nací en la Medianoche y me desplazo [36] al través del tiempo en la gran superficie de las horas. ¿Superficie he dicho? Quia . . .[37] El tiempo no tiene superficie. El tiempo posee las cinco dimensiones que la filosofía de ustedes no podrá nunca resolver. Yo vivo en el tiempo tal como usted vive en el espacio. ¿Logra usted comprender la magnitud del abismo que nos separa? ¿Ha pensado alguna vez acerca de los ángeles? ¿Concibe usted a los ángeles viviendo dentro de las barras de la prisión de un espacio tri-dimensional? Imposible. Los dioses y esos semidioses que son los arcángeles, los serafines y los querubines,[38] los tronos y las potestades, todos ellos viven en el tiempo y por eso son inmortales. Por eso es que ustedes los hombres no pueden verlos. Pero existen, ¡vaya si [39] existen! Cuando los antiguos iniciados, los grandes magos de China y de la India, y antes que ellos, de la Atlántida y de Lemuria,[40] hablaban de conquistar la inmortalidad, lo que ellos buscaban era pasar de la vida espacial a la vida cronológica, salir del espacio y entrar en el tiempo. ¡Ah! ¡Y hay muchos que todavía lo buscan! Pero la mutación no es nada fácil.

Hizo una pausa nerviosa que yo aproveché para pedir al viejo Pat otra botella de cerveza, y luego continuó:

— ¿Qué es la vida para usted? Cuestión de los días, de las horas, de los minutos, de los segundos que le faltan para morir. Y eso es todo. Cuestión de una espera de un plazo

[36] me desplazo I move
[37] quia oh, no!
[38] serafines, querubines seraphim, cherubim
[39] vaya si of course
[40] la Atlántida Atlantis, a mythical island in the Atlantic Ocean; Lemuria according to classical mythology, home of the Lemures, or spirits of the wicked dead

más o menos largo pero perfectamente limitado y del cual
usted no tiene escape como no lo tiene el pajarillo dentro
de su jaula. En cambio, para mí ... el rodar vertiginoso
de la Tierra no tiene fin: los meridianos, los paralelos, el
ecuador, el eje [41] que va de polo a polo de la tierra pasan
bajo mis pies en un girar sin término, porque yo no vivo en
dimensión de espacio sino en atmósferas de tiempo. Soy,
por lo tanto, inmortal, ¿comprende usted? ¡Inmortal! A
veces suelo encontrar en mi camino algún camarada, nacido
como yo, en Medianoche. Creí que usted era uno de ellos
y por eso lo abordé. La cosa sucede muy de tarde en tarde.[42]
¡Ah!, una vez encontré uno, pero cuando empezábamos a
hablar, los policías se lo llevaron preso creyendo que estaba
ebrio. Yo escapé. Pero aún recuerdo con qué inmenso
placer nos estrechamos la mano.[43] Igual que cuando usted,
de improviso, en medio de la vorágine [44] de una gran ciudad,
se encuentra con un comprovinciano,[45] con un muchacho de
la misma aldea, de la misma circunscripción,[46] del mismo
barrio. Aquel hombre era, exactamente como yo, de Medianoche, ni un minuto más ni un minuto menos. ¡La Medianoche es la hora más densa y poblada del tiempo, algo así
como Londres, Shanghai o Nueva York son para ustedes!
Una gran hora. Por eso yo estoy orgulloso de ser de Medianoche. Tuve esa suerte. Pude haber nacido en la hora
pequeñita de la una y media de la tarde, o de las ocho de
la noche, como otros nacen en pequeños villorrios.[47] Pero,
¡no! ¡Nací en la Medianoche! Y ese es mi mayor orgullo.
Pues la Medianoche es el sitio donde nacen los elegidos de
los dioses. ¿Usted cree que Poe, Dostoievsky, Rodin o el

[41] **eje** axis
[42] **muy de tarde en tarde** very infrequently
[43] **nos ... mano** we shook hands
[44] **vorágine** vortex
[45] **comprovinciano** fellow from your province
[46] **circunscripción** region
[47] **villorrios** villages

Dante Alighieri [48] nacieron en Nueva York, Moscú, París
o Florencia? ¡Quia! Todos ellos son de Medianoche. Sus
pasaportes estaban visados por la hora magnífica, la hora
del genio, la hora sobrehumana. Ese es el sello de mi ciudad.
El tiempo de la Medianoche: el que allí nace tiene, con eso
solo, ganada ya la mitad del derecho al genio, la fama y la
inmortalidad. Cuando Alejandro Magno [49] fué, a través del
desierto al remoto Oasis de Ammón en el confín de Libia
con Egipto,[50] para interrogar al oráculo, ¿cuál cree usted
que fué la pregunta formulada por él y cuál la respuesta
del dios en la soledad del santuario? Pues bien, el hijo de
Filippo y de Olimpia [51] fué allí para preguntar datos con-
cretos acerca de su nacimiento. Y la respuesta de Ammón-
Min, llamado después por los romanos Júpiter-Ammón,[52]
no fué, como los historiadores lo afirman la de que él era
un hijo suyo, sino algo mucho más importante. El dios le
dijo que no era un macedonio [53] ni un griego ni un thessálico [54] ni nada: le dijo que era un ser del tiempo y que el
mundo, el globo terráqueo que él sentía girar bajo sus pie
no era para él una jaula como para los demás hombres, sino
simplemente un trampolín [55] para saltar a una vida en
nuevas dimensiones. De allí que [56] Alejandro, el semi-dios
del mundo antiguo, anduviera y anduviera sin cesar, pues
los paralelos y los meridianos no tenían sentido para él.
Y por eso es también, que como Cristo, a los treinta y tres
años, salió de este mundo, pues el número treinta y tres es

[48] Edgar Allan Poe (1809–1849), American poet and short story writer;
Feodor Dostoevski (1821–1881), Russian novelist; Auguste Rodin (1840–
1917), French sculptor; Dante Alighieri (1265–1321), Italian poet.
[49] **Alejandro Magno** Alexander the Great (356–323 b.c.)
[50] **Libia, Egipto** Libya, Egypt
[51] **el hijo ... Olimpia** Alexander
[52] **Júpiter-Ammón** pagan God
[53] **macedonio** Macedonian
[54] **thessálico** from Thessaly, a province of ancient Greece
[55] **trampolín** springboard
[56] **de allí que** that is why

el único al través del cual, aquéllos que saben encontrar
el camino, la grieta,[57] la fisura en el muro, pueden pasar de
la vida del espacio a la vida del Tiempo. Usted, capitán,
teniente o lo que sea, ¿qué hace usted con su barco? Corre
sobre el mar por entre una malla [58] de líneas horizontales
y otras verticales que usted llama meridianos y paralelos,
latitud y longitud. Pero, por mucho que navegue,[59] volverá
usted siempre al mismo punto de donde partió. Está preso
entre las rayas y círculos del imperativo geográfico [60] como
una mosca en la tela de una araña, pues el mar, sobre el cual
avanza la proa de su barco, es tiempo líquido, tiempo precipitado, cristalizado, degenerado en formas materiales e
imperfectas. En algún tiempo del Génesis el mar era también tiempo «puro,» pero el moho [61] de esto que ustedes
llaman vida, se fué apoderando de él, envejeciéndolo hasta
precipitarlo en esa forma intermedia que él tiene que no
es ni sólida ni inmaterial sino que una forma de transición
entre tiempo y espacio. Es la sal, usted sabe, la que ha
devorado y la que está devorando el mar. La sal es la
vejez del mundo. Así como las arterias de los hombres se
envejecen por depósitos de sal en sus paredes, las formas
líquidas se inmovilizan y petrifican por los depósitos de sal.
Si no hubiera sal en el agua, en el océano, ¡ah!, ¡acaso un
día, aquello volvería a ser lo que antes fué. Yo estoy libre
de todos esos riesgos. Yo soy una función del tiempo. Me
dirá usted que también yo soy un prisionero de la red de
las horas y minutos. Pero cada día es un día, cada hora
es una hora, cada minuto es un minuto y el tiempo tiene
toda la eternidad por principio y por fin. El tiempo no
tiene límites. Es la luz despeñándose por los flancos in-

---

[57] **grieta** crack
[58] **malla** network
[59] **por ... navegue** no matter how far you sail
[60] **imperativo geográfico** geographical limits
[61] **moho** rust

conmensurables del cosmos.[62] El tiempo es la luz en marcha
y los que hemos nacido en el tiempo somos luz, luz en
movimiento.

De súbito,[63] interrumpió su charla. El reloj que colgaba
sobre el muro frente a la chiminea de la taberna, daba la
primera campanada de las doce y el pequeño pajarraco me-
cánico escondido en su casita de madera, gritaba su primer «¡cucú!»

Mi interlocutor se levantó rápidamente de su asiento.

— Lamento dejarlo — me dijo —. Yo desciendo aquí.
He llegado a Medianoche y aquí me quedo.

Me tendió su mano, una mano fría y afilada forrada de
una piel seca y dura como un pergamino.[64]

— ¿Pero adónde va usted hombre, por Dios? ¿Adónde?

— Desciendo aquí, es mi ciudad, es mi estación, es mi
casa ... Le agradezco infinitamente su amable compañía
durante la parte del viaje que hemos hecho juntos. ¡Adiós,
señor!

Le tendí la mano como un autómata, sin saber muy clara-
mente lo que hacía.

Desde la puerta se volvió, llegó de nuevo hasta mi mesa
y hablándome casi al oído, me dijo:

— ¡Ah!, capitán: si usted pudiera equipar su barco para
navegar sobre los años así como navega sobre los mares ...
Yo lo acompañaría. ¡Qué viaje maravilloso sería el nuestro,
capitán! ¡Pero no, no es posible!

Salió dejando en la mampara[65] la imagen brumosa de
un rostro muy blanco bajo el ala de un pequeño hongo anacrónico.[66]

Me eché de bruces[67] sobre la mesa, tratando de ordenar

---

[62] **despeñándose ... cosmos** plunging downward along the incommen-
surable flanks of the universe   [63] **de súbito** suddenly
[64] **forrada ... pergamino** with a skin dry and hard as a parchment
[65] **mampara** screen
[66] **el ala ... anacrónico** the brim of an out-of-date little derby hat
[67] **me ... bruces** I slumped face forward

mis ideas que bailaban en mi cabeza como baila la aguja de la brújula [68] cuando se desata el temporal. Ensayé luego levantarme pero no pude. Sentía vértigos y opté por [69] inclinar mi cabeza sobre los brazos cruzados encima del frío mármol de la mesa.

El reloj terminaba de dar las doce campanadas y los doce gritos agudos del «cucú.»

Un grupo de marineros pasaba junto a mi mesa tropezando ruidosamente con las sillas y riendo a grandes carcajadas. [70]

Oí confusamente que se detenían unos instantes frente a mí y uno de ellos decía:

— Buena borrachera se ha cogido hoy el Piloto [71] del «Princess Elizabeth» ... ¡Ese no llega sobre sus dos piernas esta noche al barco!

— Sí, — contestaba otra voz ronca e irónica ... — ¡Es traicionera la cerveza negra del viejo Pat! ¡Golpea fuerte! ¡Más que una tormenta en Cabo de Hornos! [72]

[68] **brújula** compass   [69] **opté por** I decided
[70] **riendo ... carcajadas** guffawing
[71] **buena ... Piloto** the mate has got good and drunk today
[72] **Cabo de Hornos** Cape Horn

EJERCICIOS

I. Contéstese en español:

1. ¿A dónde solía ir el autor al bajar de su barco en los malecones de Glasgow? ¿Por qué?

2. ¿Por qué llevaban tanto tiempo ya atracados en esa ciudad escocesa?

3. ¿Qué clase de música le gustaba al marinero?

4. ¿Qué ideas extrañas poblaban la mente del marinero?

5. Descríbase al sujeto extraño con quien se encontró una noche.

6. ¿Por qué le pidió su reloj, examinándolo con cuidado?

7. ¿Por qué le invitó el marinero a la taberna?
8. ¿Bebía mucha cerveza el hombre extraño? ¿Por qué?
9. ¿Por qué decía este tipo que era «dueño del Tiempo»?
10. ¿Cómo reaccionó su compañero ante esta advertencia tan rara?
11. ¿Cómo se llamaba el hombre del Tiempo?
12. ¿De dónde era?
13. Según él, ¿cuáles son algunas diferencias entre la vida del espacio y la del tiempo?
14. ¿Cuál es el mayor orgullo del hombre del tiempo?
15. Según éste, ¿por qué andaba sin cesar Alejandro Magno?
16. ¿Qué dice de la sal y del mar?
17. ¿Por qué tenía que dejar de súbito a su amigo del espacio?
18. ¿Fué sueño o alucinación de borracho todo este episodio?

II. Otros temas de conversación:

1. La vida del marinero
2. La importancia del tiempo en nuestra vida
3. Las alucinaciones

III. Composición. Tradúzcase al español:

This is the story of an encounter with a man who lives in Time, rather than in Space like the rest of us. According to him, he lives in the infinite, while we men on earth are imprisoned by dimensions. For us, life is a question of the years, the months, the days, the hours, the minutes and seconds which remain to us before we die; for the master of Time life continues always. Thus he is immortal. However much we may travel, we always return to the same place, but the man from Time never goes back but always forward.

When the clock struck midnight our visitor from Time had to depart, leaving us confused. Was it a dream or an hallucination caused by our state of intoxication? We aren't sure.

Dos palomitas sin hiel

Ricardo Palma

Ricardo Palma

RICARDO PALMA (1833–1919) was an important Peruvian writer who created the *tradición*, a short prose sketch based on history or legend, and embellished by the author's vivid imagination. His *Tradiciones peruanas*, published in ten volumes from 1872 to 1910, are not considered true short stories, but as a distinct genre. Nevertheless, many of them are good stories. Under Palma's clever pen, the colonial history of Peru, and especially of Lima, unfolds before us with great life, sweep and color.

Palma is fond of roguish pranks and addicted to waggish humor, so that the majority of his tales elicit hearty chuckles from the reader. But his *tradiciones* are also pervaded with a subtle irony. Man's foibles and frailties are dissected. His characters are usually of the upper classes: viceroys and the ladies and gentlemen of their courts. *Dos palomitas sin hiel* is a humorous anecdote about the rivalry between two seventeenth-century noblewomen who shrill insults at each other and finally come to blows.

Dos palomitas sin hiel [1]

Ricardo Palma

I

Doña Catalina de Chaves era la viudita más apetitosa de Chuquisaca.[2] Rubia como un caramelo, con una boquita de guinda y unos ojos que más que ojos eran alguaciles que cautivaban al prójimo. Veintidós años muy frescos, y un fortunón en casas y haciendas de pan llevar.[3]

Pero así como no hay cielo sin nubes, no hay belleza tan perfecta que no tenga su defectillo, y el de doña Catalina era tener dislocada una pierna, lo que al andar le daba el aire de goleta balanceada por mar boba.[4]

Como dizque [5] el amor es ciego, los aspirantes no desesperanzados [6] afirmaban que aquélla era una cojera graciosa y

---

[1] **dos ... hiel** two cooing doves
[2] **Chuquisaca** city in what is now southern Bolivia, formerly in viceroyalty of Peru
[3] **haciendas ... llevar** fertile lands
[4] **goleta ... boba** schooner rocking on a gentle sea
[5] **dizque** they say
[6] **los ... desesperanzados** those seeking her hand who still had hopes

que constituía un hechizo más en dama que los tenía por
almudes [7] y para dar y prestar. [8]

A pesar de todo, era mi señora doña Catalina una de las
reinas de la moda; y no digo la reina, porque habitaba
también en la ciudad doña Francisca Marmolejo, esposa
de don Pedro de Andrade, caballero del hábito de Santiago
y de la casa y familia de los condes de Lemos.

Doña Francisca, aunque menos joven que doña Catalina
y de opuesto tipo, pues era morena como Cristo nuestro
bien, [9] era igualmente hermosa y vestía con idéntica ele-
gancia, porque a ambas las traían trajes y adornos, no desde
París, pero sí desde Lima, que era por entonces el cogollito [10]
del buen gusto.

Hija de un minero de Potosí, [11] llevó al matrimonio una
dote de medio millón de pesos ensayados, [12] sin que faltara
por eso quien tildara de roñoso [13] al suegro, comparándolo
con otros que, según el cronista Martínez Vela, [14] daban
dos o tres milloncejos a cada muchacha al casarlas con
hidalgos sin blanca, [15] pero provistos de pergaminos; que
la gran aspiración de mineros era comprar para sus hijas
maridos titulados y del riñón de Asturias y Galicia, [16] que
eran los de nobleza más y mejor cuartelada. [17]

El diablo, que en todo mete la cola, hizo que doña Francisca tuviera aviso de que su dichoso marido era uno de los

---

[7] **por almudes** by the bushel
[8] **para ... prestar** to spare
[9] **Cristo ... bien** Christ our Redeemer
[10] **cogollito** last word
[11] **Potosí** city in Bolivia famous for its rich mines
[12] **ensayados** assayed
[13] **quien ... roñoso** some who called stingy
[14] **Martínez Vela** an eighteenth century (?) chronicler who wrote *Historia de la villa imperial de Potosí* (*1545–1577*)
[15] **sin blanca** completely broke
[16] **del riñón ... Galicia** from the heart of Asturias and Galicia, two prov-
inces in northwest Spain
[17] **más ... cuartelada** bluest-blooded

infinitos que hacían la corte a la viuda, y el comején [18] de
los celos empezó a labrar en su corazón como polilla en
pergamino. En guarda de [19] la verdad y a fuer de [20] honrado tradicionista, debo también consignar que doña Catalina no hacía caso de los requiebros de don Pedro.

Al principio la rivalidad entre las dos señoras no pasó
de [21] competir en lujo; pero constantes chismecillos de
villorrio llegaron a producir completa ruptura de hostili-
dades. En el estrado de doña Francisca se desollaba viva
a la Catuja, y en el salón de doña Catalina trataban a la
Pancha como a parche de tambor.[22]

En esta condición de ánimos las encontró el Jueves Santo
de 1616.

El monumento del templo de San Francisco estaba adornado con mucho primor, y allí se había congregado toda la
primera sociedad de Chuquisaca. Apoyadas en la balaustrada que servía de barra al monumento, encontráronse a
las tres de la tarde nuestras dos heroínas. Empezaron por
medirse de arriba abajo y esgrimir los ojos como si fuesen
puñales buídos.[23] Luego, a guisa de guerrillas, cambiaron
toses y sonrisas despreciativas, y adelantando la escaramuza [24] se pusieron a cuchichear con sus dueñas.

Doña Francisca se resolvió a comprometer batalla en
toda la línea,[25] y simulando hablar con su dueña, dijo en
voz alta:

—No pueden negar las *catiris* (rubias) que descienden
de Judas, y por eso son tan traicioneras.

Doña Catalina no quiso dejar sin respuesta el cañonazo y
contestó:

---

[18] **comején** termite   [19] **en guarda de** out of respect for
[20] **a fuer de** as a
[21] **no pasó de** didn't go beyond
[22] **a parche de tambor** drum, i.e. they beat her reputation to bits
[23] **esgrimir ... buídos** look daggers at each other
[24] **adelantando la escaramuza** pushing forward the battle
[25] **comprometer ... línea** to launch a full-scale attack

— Ni las *cholas* [26] que penden de los sayones judíos,[27] y por eso tienen la cara ahumada como el alma.

— Calle la coja zaramullo,[28] que ninguna señora se rebaja a hablar con ella — replicó doña Francisca.

— ¡Zapateta! [29] ¿Coja dijiste? ¡Téngame Dios de su mano!

La nerviosa viudita dejó caer la mantilla, y uñas en ristre [30] se lanzó sobre su rival. Esta resistió con serenidad la furiosa embestida, y abrazándose con doña Catalina la hizo perder el equilibrio y besar el suelo. En seguida se descalzó el diminuto chapín,[31] levantó las enaguas de la caída poniendo a expectación pública [32] los promontorios occidentales, y la plantó tres soberbios zapatazos, diciéndola:

— Toma, cochina, para que aprendas a respetar a quien es más persona que tú.

Todo aquello pasó como se dice, en un abrir y cerrar de ojos,[33] con gran escándalo y gritería de la multitud reunida en el templo. Arremolináronse las mujeres y hubo más cacareo que en corral de gallinas. Las amigas de las contendientes lograron con mil esfuerzos separarlas y llevarse a doña Catalina.

No hubo lágrimas ni soponcios,[34] sino injuria y más injuria, lo que me prueba que las hembras de Chuquisaca tienen bien puestos los menudillos.[35]

Mientras tanto, los varones acudían a informarse del

[26] **cholas** half-breeds
[27] **penden . . . judíos** descend from the Jewish executioners
[28] **zaramullo** hussy
[29] **¡zapateta!** well really!
[30] **en ristre** unsheathed
[31] **chapín** slipper
[32] **poniendo . . . pública** displaying to the public
[33] **en . . . ojos** in the twinkling of an eye
[34] **soponcios** swoons
[35] **tienen . . . menudillos** have lots of guts, i.e. character

suceso, y en el atrio de la iglesia se dividieron en grupos. Los partidarios de la rubia estaban en mayoría.

Doña Francisca, temiendo de éstos un ultraje, no se atrevía a salir de la iglesia, hasta que, a las ocho de la noche, vino su marido con el corregidor [36] don Rafael Ortiz de Sotomayor, caballero de la orden de Malta, y una jauría de ministriles para escoltarla hasta su casa.

Aproximábanse a la plaza Mayor, cuando el choque de espadas y la algazara [37] de una pendencia entre los amigos de la rubia y los de la morena pusieron al corregidor en el compromiso de ir con sus corchetes [38] a meter paz, abandonando la custodia de la dama. Los curiosos corrían en dirección a la plaza, y apenas podía caminar doña Francisca apoyada en el brazo de su marido.

En este barullópolis [39] un indio pasó a todo correr,[40] y al enfilar con la señora levantó el brazo, armado de una navaja e hízola en la cara un chirlo como una Z, cortándole mejilla, nariz y barba.

II

Como era natural, la justicia se echó a buscar al delincuente, que fué como buscar un ochavo en un arenal,[41] y el alcalde del crimen [42] se presentó el lunes de Pascua en casa de doña Catalina, presunta instigadora del crimen.

Después de muchos rodeos y de pedirla excusa por la misión que traía, y a la que sólo sus deberes de juez lo compelieran,[43] la preguntó si sabía quiénes eran los que en la noche del Jueves Santo habían acuchillado a doña Francisca Marmolejo.

[36] **corregidor** mayor	[37] **algazara** uproar
[38] **corchetes** constables	[39] **barullópolis** tumult
[40] **a todo correr** at full speed	
[41] **un ochavo en un arenal** a penny in a sand dune, i.e. a needle in a haystack	
[42] **alcalde del crimen** criminal judge	
[43] **compelieran** (= **habían compelido**)	

— Sí, lo sé, señor alcalde, y también lo sabe su señoría — contestó la viuda sin inmutarse.

— ¿Cómo que yo lo sé? ¿Es decir, que yo soy cómplice del delito? — interrumpió amostazado el alcalde don Valentín Trucíos.

— No digo tanto,[44] señor mío — repuso sonriendo doña Catalina.

— Pues concluyamos: ¿quién ha herido a esa señora?

— Una navaja manejada por un brazo.

— ¡Eso lo sabía yo! — murmuró el juez.

— Pues eso es también lo que yo sé.

La justicia no pudo avanzar más. Sobre doña Catalina no recaían sino presunciones,[45] y no era posible condenarla sin pruebas claras.

Sin embargo, las dos rivales siguieron pleito mientras les duró la vida; y aun creo que algo quedó por espulgar en el proceso [46] para sus hijos y nietos. Entretanto, doña Catalina decía a sus amigos y comadres de la vecindad que con las faldas tapaba los cardenales de los zapatos, si es que con paños de agua alcanforada no se habían borrado,[47] pero que doña Francisca no tendría nunca cómo esconder el costurón que le afeaba el rostro.

De todo lo dicho resulta [48] que las dos señoras de Chuquisaca fueron . . . un par de palomitas sin hiel.

[44] **no digo tanto** I wouldn't say that   [45] **presunciones** suspicions
[46] **por . . . proceso** to examine in the affair
[47] **si es que . . . borrado** if they hadn't been erased already with camphor poultices
[48] **de . . . resulta** all that has been said makes it plain

EJERCICIOS

I. *Contéstese en español:*

1. Descríbase la apariencia de doña Catalina.
2. ¿Cuántos años tenía? ¿Cuánto dinero?

3. ¿Quién era la otra reina de la moda en Chuquisaca?
4. ¿Cómo era doña Francisca Marmolejo?
5. ¿Por qué tenía Francisca celos de la viuda?
6. Descríbase la rivalidad entre las dos señoras hasta el Jueves Santo de 1616.
7. ¿Qué pasó esa tarde entre estas damas?
8. ¿Cómo reaccionó la multitud de gente que presenciaba esta escena?
9. ¿Cuál de las dos tenía mayor número de partidarios varones?
10. ¿Qué le pasó a doña Francisca mientras iba escoltada de la iglesia a su casa?
11. ¿Quién fué el infame corta-rostro?
12. ¿Qué decía la rubia cuando el alcalde del crimen le preguntó si sabía quién había acuchillado a doña Francisca?
13. ¿Condenó la justicia a doña Catalina?
14. ¿Se hicieron amigas al fin las dos rivales?

II. *Otros temas de conversación:*

1. Las riñas entre hombres
2. Las riñas entre esposos
3. La buena sociedad

III. *Composición. Tradúzcase al español:*

Chuquisaca during the colonial era in Peru was the scene of a great rivalry between two ladies. One was the blond and charming doña Catalina, the other the dark and elegant doña Francisca. After exchanging bitter insults one afternoon, the two women began to strike each other furiously. When Catalina lost her balance and fell, the other took advantage and hit her with her slipper. Everybody was scandalized and friends had great difficulty in separating the two contenders.

In the confusion doña Francisca was attacked by an Indian who slashed her face. The authorities never discovered who he was, although he must have been a partisan of doña Catalina. The latter was pleased that she could hide the bruises caused by her rival's shoe, but poor doña Francisca never would be able to disguise the scar which disfigured her face.

Martín, Concejal

Gabriel Miró

Gabriel Miró

GABRIEL MIRÓ (1879–1930) was a Spanish prose writer renowned for his luxuriant and poetic style. In his novels and short stories, description predominates over narration and atmosphere over action. Miró, a gentle and contemplative writer, often has been aligned with the Generation of 1898 in Spain because of his lyrical pessimism and his characters' lack of will power. These traits can be noted in the story selected here: *Martín, Concejal.*

Outstanding among Miró's works are his novels *Figuras de la pasión del señor* (1916) and *Libro de Sigüenza* (1917).

Martín, Concejal

Gabriel Miró

Martín era un floricultor maravilloso. Sabía lo más escondido de la vida de las flores, la trama y el sueño de los bulbos, la peregrina circulación de los jugos de todas y los nombres latinos y bárbaros [1] — casi bien pronunciados — de muchas. Sabía que plantando un menudo trozo de hoja daba nacimiento a una nueva criatura vegetal viable, [2] completa, como sucedía con las *Gloxinias* [3] y, singularmente, con algunas begonias, como la *Begonia Rex*. Platicaba con las matas persuadiéndolas si necesitaban de injerto para lozanear y embellecer la estirpe; [4] y como se cuenta del buen San Francisco, [5] Martín paseaba por su humilde huerto, y viendo una florecica inclinada a la tierra, lacia, mohína, triste, acercábase a la planta, y dándole con sus dedos un

[1] **bárbaros** popular
[2] **viable** capable of living
[3] **Gloxinia** a greenhouse plant with large bell-shaped flowers
[4] **de injerto ... estirpe** grafting to make their stock more luxuriant and beautiful
[5] **San Francisco** St. Francis of Assisi (1182–1226), Italian friar and founder of the Franciscan order

gracioso y delicado capirotazo,[6] solía decirle: «¡Ya sé lo
que tienes!» Y en seguida la bañaba con mucho regalo,[7]
con mucha suavidad y le sacaba algún insectico que le
estaba chupando ferozmente la miel de su seno.

Conviene hacer confesión que Martín no era precisamente
un San Francisco. Martín no amaba las flores, sino sus
flores; las cuidaba paternalmente; no sosegaba mirándolas;[8] y luego, las vendía. Lo mismo hace el ganadero
con sus reses y el recovero con sus averíos.[9] Bueno; de
todos modos, aunque un hombre se mantenga granjeando
de sus rosales y de sus clavellinas,[10] siempre resulta su
figura más conmovedora que la del negociante de cerdos.

Claro que no es menester que el cultivo de los jardines
enmuellezca[11] y afemine el ánimo y otras cosas. Martín,
no; no se afeminaba, antes era hombre recio, fosco y dado
a ideas revolucionarias y designios socialistas. Hablaba de
transformaciones de los pueblos, y tenía un pliegue en la
frente como el glorioso emperador.[12] Cuando leía una hoja
incendiaria y decía sus pensamientos de repúblico, delante
de su familia y amigos, todos, más que escucharle, le con-
templaban el pliegue. Su mujer se pasmaba.[13] ¿De dónde
le acudían esos peligrosos odios y aficiones siendo tan pa-
ciente con el *Echinocactus ottonios*[14] y tan dulce y sumiso con
el dueño de la casa? Porque Martín habitaba casa ajena,
la de un funcionario ultramarino[15] — me parece que oidor
—, quien vino de aquellas tierras remotas con un pedacito

---

[6] **capirotazo** tap
[7] **la bañaba ... regalo** watered it carefully
[8] **no sosegaba mirándolas** he attended to them constantly
[9] **el recovero ... averíos** the poultry dealer with his flocks
[10] **clavellinas** pinks
[11] **enmuellezca** soften
[12] **el glorioso emperador** Napoleon
[13] **se pasmaba** was astounded
[14] *Echinocactus ottonios* type of spiny cactus
[15] **funcionario ultramarino** overseas official

de vellocino de oro enredado en el fondo de su faltriquera y un mal de ijada.[16]

Era el señor magistrado alto, seco, con larga americana cruzada,[17] sombrero muy hundido [18] y bastón de concha de vivas transparencias. Escogió una templada ciudad; mercó [19] una casa en paraje sosegado, añadióle un huerto y admitió en las habitaciones bajas al matrimonio Martín [20] para que le asistieran a él y a su esposa, una desabrida [21] señora vieja y flaca, dándole por sus servicios techo y libertad para vender flores y alquilar macetas y ramajes a fondas, ceremonias, fiestas y agasajos [22] políticos y familiares.

El ex-magistrado estaba tan contento de su jardinero que algunas mañanas, escapándose de las rígidas faldas de la esposa, bajaba al huerto, y mientras Martín regaba el *Lilium candidum*, el *Tigrinum*, el *Superbum*, el *Chalcedonicum* o el *Topoelum majus* (total, una alborozada mata de capuchinas),[23] él le contaba grave y anchamente cualquiera rareza de la flora de Indias y, a veces, toda una contienda jurídica.

Martín también estaba muy contento y ganaba muy buenos dineros con su jardín, cada día más famoso y solicitado.

Sucedió que en la ciudad se fervorizaron los ánimos porque había renovación de concejales.

Una noche se congregaron los socialistas. Y habló Martín. Dijo que era preciso «comenzar la batalla, y que la primera jornada,[24] el primer encuentro y trinchera estaban en las urnas municipales.»

[16] **mal de ijada** pain in his side   [17] **cruzada** double-breasted
[18] **sombrero muy hundido** hat jammed down on his head
[19] **mercó** he bought
[20] **al matrimonio Martín** Martín and his wife
[21] **desabrida** surly
[22] **agasajos** celebrations
[23] **una alborozada ... capuchinas** a riotous mass of nasturtiums
[24] **jornada** military expedition

Pues en seguida le proclamaron candidato.

Y al amanecer, delante de la rosa alba y de la mimosa púdica,[25] casta, sensitiva, viva, Martín sonreía enternecido y acaso balbució: «¡Si supierais que quien os da de beber y os mulle [26] la tierra está casi sentándose en el Cabildo!»[27]

¡Era un San Francisco que platicaba con las flores!

Dijéronselo en el casino al señor oidor.

— ¿Martín, mi jardinero, concejal?

— El mismo. ¡Imagine, imagine si podrá servirle de poco![28] ¡Y concejal socialista de los terribles!

— ¿Socialista, socialista y todo? . . . ¡La ola . . ., la ola siniestra que avanza, avanza! ¡He criado un cuervo![29]

Y el magistrado, sin rematar su frase, marchóse enfurecido y temeroso.

Cuando la señora lo supo, también gritó:

— ¡Un cuervo, un cuervo hemos criado que nos sacará los ojos!

— Hija, lo mismo he pensado yo; pero no ha de ocurrir, que el enemigo no seguirá bajo nuestros techos.

Llamó a Martín para decírselo, y la ola presentósele sin blusa ni alpargatas, sino toda de negro, el traje de paño de su casamiento, que siempre estuvo guardado en la vieja arca.

— Pero ¿es que me echa usted? — exclamó Martín angustiándose.

— Es usted concejal, y lo único que hago es invitarle a que se busque casa.

Después le rodearon sus compañeros. Y como el caudillo mostrase duda, flaquezas, apocamiento [30] mirando sus be-

---

[25] **mimosa púdica** mimosa or a plant whose leaves are sensitive to touch
[26] **mulle** loosens
[27] **Cabildo** municipal council
[28] **si . . . poco** how well he'll be able to serve you now
[29] **¡He . . . cuervo!** I've brought up a crow, i.e. I've nourished a viper. (*A reference to the proverb*: **Cría cuervos y te sacarán los ojos.**)
[30] **apocamiento** low spirits

gonias zebrina y sanguíneas,[31] la *Campanula ranunculus*,
el *Heliotropum peruvianum*,[32] un tonelero[33] viejo y tuerto,
antiguo sargento, gritó lo mismo que el capitán Bravida al
héroe de Tarascón:[34]

— ¡Martín, es preciso partir!

Y Tartarín[35] partió.

* * *

La casa del señor concejal era honda y sombría.

La mujer y los chicos estaban flacos, pajizos y mustios;[36]
no tenían huerto y no había ganancia.

Martín, baldío,[37] con el entrecejo cavado por el filo de
sus pensamientos[38] y su traje de bodas envejecido, pasaba
calles y plazas, recibiendo el saludo de algún socialista
gozoso. Llegaba a un jardincito municipal. Acercábasele
el custodio, y destocado y humilde, con sonrisita pellizcada
por la malicia,[39] escuchaba los nombres latinos de plantas
que le decía el concejal.

Dos guardias se allegaban, esperando sus mandatos.

Y cuando Martín se iba, ellos le saludaban con rendimiento y socarronería.

— ¿Qué te dijo, qué te dijo el señor concejal?

El jardinero se rascaba el cráneo, después una nalga, y
encendiendo la punta del cigarro, murmuraba regocijadamente:

— ¡Todo es hambre!

[31] zebrina y sanguíneas striped (like zebras) and crimson
[32] *Campanula...peruvianum* campanula (bell-shaped flower), the Peruvian heliotrope
[33] tonelero barrelmaker
[34] el capitán ... Tarascón a reference to characters in a French novel,
Tartarin de Tarascon, by Alphonse Daudet (1840–1897)
[35] Tartarín (de Tarascón) i.e. Martín
[36] mustios gloomy
[37] baldío idle
[38] el entrecejo ... pensamientos his brow deeply furrowed by his thoughts
[39] con ... malicia with a malicious smile

EJERCICIOS

I. **Contéstese en español:**

1. ¿Qué oficio tenía Martín?
2. ¿Cómo trataba sus flores?
3. ¿Se puede comparar Martín con San Francisco en su actitud hacia las flores?
4. ¿A qué clase de lectura estaba aficionado Martín?
5. ¿Para quién trabajaba Martín de jardinero?
6. ¿Tenía mucho éxito Martín con su jardín?
7. ¿A cuál de los partidos políticos perteneció Martín?
8. ¿Cómo eran el magistrado y su esposa?
9. ¿Qué pensaron al saber que Martín iba a ser concejal socialista?
10. ¿Por qué lo echaron de su casa?
11. Explique la expresión: «He criado un cuervo.»
12. ¿Qué es «la ola siniestra que avanza» de que habla el magistrado?
13. ¿En la nueva casa había huerto donde plantar flores?
14. ¿Cómo pasaba el día Martín, el concejal?
15. ¿En qué condiciones económicas estaban él y su familia?
16. ¿Cuál será la moraleja de este cuento?

II. **Otros temas de conversación:**

1. La vida política
2. Nuestro sistema de gobierno
3. Cómo se cultivan las flores

III. **Composición.** *Tradúzcase al español:*

Martin was an excellent gardener. He knew all the Latin and the popular names of flowers. He took very good care of his plants and at times he would speak to them as though they were persons. Martin also liked to talk to his boss about the garden. He was very satisfied with the financial success his flowers were bringing him.

One day this happy state changed abruptly. Martin's socialist friends, impressed by his fervor, elected him a town councilman. From that day on Martin's troubles began. His boss dismissed him and Martin and his family had to find a new place to live. It was a pity their new dwelling had no garden. Martin missed his flowers very much and his wife and children sometimes went hungry. Poor Martin didn't know when he was well off.

La perla rosa

Emilia Pardo Bazán

Emilia Pardo Bazán

La Condesa Emilia Pardo Bazán (1852–1921) was a prolific
Spanish writer and the most ardent defender of the French school
of naturalism in Spain. She cultivated most of the literary genres,
but she was at her best in the novel and the short story. Her
stories were published in eight volumes, among the best of which
are *Cuentos escogidos* (1891), *Cuentos de marineda* (1892), and *Arco
Iris* (1895).

Pardo Bazán is concerned particularly with the portrayal of
human passions — passions which sometimes are morbid and often
are inordinate or uncontrollable. Many of her tales are set in the
lush green countryside of her native province of Galicia; others,
like *La perla rosa*, are cosmopolitan in tone and setting. This
story, Gallic in theme and treatment, is reminiscent of the French
master, Guy de Maupassant.

La perla rosa

Emilia Pardo Bazán

Sólo el hombre que de día se encierra y vela [1] muchas horas de la noche para ganar con qué a satisfacer los caprichos de una mujer querida (díjome en quebrantada voz mi infeliz amigo) comprenderá el placer de juntar a escondidas [2] una regular suma, y así que la redondea, salir a invertirla en el más quimérico, en el más extravagante e inútil de los antojos de esa mujer. Lo que ella contempló a distancia como irrealizable sueño, lo que apenas hirió su imaginación con la punzada [3] de un deseo loco, es lo que mi iniciativa, mi laboriosidad y mi cariño van a darla dentro de un instante ... y ya creo ver la admiración en sus ojos, y ya me parece que siento sus brazos ceñidos a mi cuello, para estrecharme con delirio de gratitud.

Mi único temor, al echarme [4] a la calle con la cartera bien lastrada [5] y el alma inundada de júbilo, era que el joyero hubiese despachado [6] ya las dos encantadoras perlas color

---

[1] **vela** stays up late working
[2] **a escondidas** secretly
[3] **punzada** prick
[4] **al echarme** upon rushing
[5] **cartera bien lastrada** well-filled wallet
[6] **despachado** sold

121

de rosa que tanto entusiasmaron a Lucila la tarde que se
detuvo, colgada de mi brazo, a golosinear con los ojos el
escaparate.[7] Es tan difícil reunir perlas de ese raro y peregrino matiz,[8] de ese hermoso oriente,[9] de esa perfecta forma
globulosa, de esa igualdad absoluta, que juzgué imposible
que alguna señora antojadiza [10] como mi mujer, y más
rica, no las encerrase ya en sus guardajoyas. Y me dolería
tanto que así hubiese sucedido,[11] que hasta me latió el corazón cuando vi sobre el limpio cristal, entre un collar magní-
fico y una cascada de brazaletes de oro, el fino estuche [12] de
terciopelo blanco donde lucían misteriosamente las dos
perlas rosa orladas de brillantes.[13]

Aunque iba preparado a que me hiciesen pagar el capricho, me desconcertó el alto precio en que el joyero tasaba
las perlas. Todas mis economías, y un pico,[14] iban a inver-
tirse en aquel par de botoncitos, no más gruesos que un
garbanzo [15] chiquitín. Me asaltó la duda — ¡soy tan poco
experto en compras de lujo! — de si el joyero pretendería
explotar mi ignorancia, pidiéndome, solo por pedir, un disparate, creyendo tal vez que mi pelaje no era el de [16] un
hombre capaz de adquirir dos perlas rosa. A tiempo que [17]
pensaba así, observé al través del alto y diáfano vidrio de
la tienda que pasaba por la acera mi antiguo condiscípulo
y mejor amigo Gonzaga Llorente. Ver su apuesta figura
y salir a llamarle fué todo uno.[18] ¿Quién mejor para ilus-

---

[7] golosinear . . . escaparate to feast her eyes greedily on the shop window
[8] peregrino matiz strange shade of color
[9] oriente brilliance   [10] antojadiza capricious
[11] y me dolería . . . sucedido It would have upset me so if that had happened
[12] estuche jewel case
[13] orladas de brillantes with a border of sparkling stones
[14] y un pico and then some
[15] garbanzo chick pea
[16] mi pelaje no era el de I wasn't the sort of
[17] a tiempo que while
[18] ver . . . uno the moment I saw his elegant figure I went out to call him

trarme y aconsejarme que el elegante Gonzaga, tal al corriente de la moda,[19] tan lanzado al mundo,[20] tan bien relacionado,[21] que cada visita que hacía a nuestra modesta y burguesa casa — y hacía bastantes desde algún tiempo acá —[22] yo la [23] estimaba como especialísima prueba de afecto?

Manifestando cordial sorpresa, Gonzaga se volvió y entró conmigo en la joyería, enterándose del asunto. Inmediatamente se declaró admirador de las perlas rosa, y añadió que sabía que andaban bebiendo los vientos [24] por adquirirlas ciertas empingorotadas [25] señoras, entre las cuales citó a dos o tres de altisonantes títulos. En un discreto aparte me aseguró que el precio que exigía el joyero no tenía nada de excesivo, en atención a [26] la singularidad de las perlas. Y como yo recelase aún, molestado por el piquillo que en aquel momento no me era posible abonar,[27] Gonzaga, con su simpática franqueza, abrió la cartera y me entregó varios billetes, bromeando y jurando que si yo no admitiese tan pequeño servicio, en todos los días de su vida [28] volvería a mirarme a la cara. ¡Qué miserables somos! No debí aceptar el préstamo; no debí llevar a mi casa sino lo que pudiese pagar al contado [29] ... pero la pasión me dominaba, y hubiese besado de rodillas la mano que me ofrecía medio de satisfacerla. Convinimos en [30] que Gonzaga almorzaría con nosotros al día siguiente, en cele-

[19] **tal ... moda** so up to date on the latest fashions
[20] **tan ... mundo** such a man of the world
[21] **tan bien relacionado** with such good connections
[22] **desde ... acá** for some time now
[23] **la** (*Omit in translation. Refers to* **visita**)
[24] **andaban ... vientos** would give their eyeteeth
[25] **empingorotadas** high society
[26] **en atención a** in view of
[27] **abonar** pay, vouch for
[28] **en ... vida** never again in his life
[29] **al contado** in cash
[30] **convinimos en** we agreed

bración del estreno de las perlas rosa, y con el estuche en
el bolsillo me dirigí a mi casa disparado;[31] quisiera tener alas.

Lucila trasteaba [32] cuando yo entré, y al verme plantado
delante de ella, diciéndola con cara de beatitud «Regís-
trame,» comprendió y murmuró «Regalo tenemos.» Viva
y traviesa (¡su manera de ser!) revolvió mis bolsillos ha-
ciéndome cosquillas deliciosas, hasta acertar con el estuche.
El grito que exhaló al ver las perlas, es de eso que no se
olvida jamás. En la efusión de su agradecimiento, me sobó [33]
la cara y hasta me besó... ¡Puede que [34] en aquel instante me quisiese un poco! No acertaba a creer [35] que
joya tan codiciada y espléndida fuese suya; no podía con-
vencerse de que iba a ostentarla. Y yo mismo, desabro-
chando los sencillos aretes de oro que Lucila llevaba puestos,
enganché las perlas rosa en las orejitas pequeñas, encendidas
de placer. Me hace mucho daño acordarme de estas ton-
terías, pero me acuerdo siempre.

Al otro día,[36] que era domingo, almorzó en casa Gonzaga
y estuvimos todos bulliciosos [37] y decidores. Lucila se había
puesto el vestido de seda gris, que la sentaba muy bien,[38] y
una rosa en el pecho, — una rosa del mismo color de las
perlas. Gonzaga nos convidó al teatro y nos llevó a Apolo,[39]
a una función alegre, en que sin tregua nos reímos. Al
otro día volví con afán a mis quehaceres, pues deseaba
saldar cuanto antes el pico, resto de las perlas.[40] Regresé
a mi casa a la hora de costumbre, y al sentarme a la mesa,

[31] me dirigí ... disparado I rushed off to my house
[32] trasteaba was fussing about the house
[33] sobó caressed
[34] puede que maybe
[35] no acertaba a creer she couldn't really believe
[36] al otro día the next day
[37] bulliciosos lively
[38] la sentaba muy bien was very becoming to her
[39] Apolo theater in Madrid
[40] saldar ... perlas to settle up as soon as possible the remainder that I
owed on the pearls

mi primera mirada fué para las orejas de Lucila. Di un salto y lancé una interjección al ver que faltaba del diminuto cerco de brillantes una de las perlas rosa.

— ¡Has perdido una perla! — exclamé.

— ¿Cómo una perla? — tartamudeó mi mujer echando mano a sus orejas y palpando los aretes. Al ver que era cierto, quedóse tan aterrada, que me alarmé, no ya por la perla, sino por el susto de Lucila.

— Calma — la dije. — Busquemos, que parecerá.

Excuso [41] decir que empezamos a mirar y registrar por todas partes, recorriendo la alfombra, sacudiendo las cortinas, alzando los muebles, escudriñando hasta cajones que Lucila afirmaba no haber abierto desde un mes antes. A cada pesquisa inútil, los ojos de Lucila se arrasaban de lágrimas. Mientras revolvíamos, se me ocurrió preguntarla:

— ¿Has salido esta tarde?

— Sí . . . creo que sí . . . — respondió titubeando.

— ¿A dónde?

— A varios sitios . . . es decir . . . Fuí . . . por ahí . . . a compras.

— Pero . . . ¿a qué tiendas?

— ¡Qué sé yo! [42] A la calle de Postas . . . a la plazuela del Angel . . . a la Carrera [43] . . .

— ¿A pie o en coche?

— A pie . . . Luego tomé un cochecillo.

— ¿No recuerdas el punto [44] . . . el número?

— ¿Cómo quieres que lo recuerde? ¡Válgame Dios! Si [45] era un coche que pasaba — objetó nerviosamente Lucila, que rompió a sollozar con amargura.

— Pero las tiendas sí las recordarás . . . Dímelas, que

[41] **excuso** I don't need
[42] **¡qué sé yo!** How do I know!
[43] **Carrera (de San Jerónimo)** street in Madrid
[44] **punto** cabstand
[45] **si** *omit in translation*

iré una por una, a ver si en el suelo o en el mostrador . . .
Pondremos anuncios . . .

— ¡Si no me acuerdo! ¡Por Dios, déjame en paz! — exclamó tan afligida, que no me atreví a insistir, y preferí
aguardar a que se calmase.

Pasamos una noche de inquietud y desvelos; oí a Lucila
suspirar y dar vueltas en la cama, como si no consiguiese
dormir. Yo, entretanto, discurría modos de recuperar la
perla rosa. Levantéme temprano, me vestí, y a las ocho
llamaba a la puerta de Gonzaga Llorente. Había oído decir
que la policía, en casos especiales, averigua fácilmente el
paradero de los objetos perdidos o robados, y esperaba que
Gonzaga, con su influencia y sus altas relaciones,[46] me
ayudaría a emplear este supremo recurso.

— El señorito está durmiendo, pero pase usted al gabinete,
que dentro de diez minutes le entraré [47] el chocolate y pre-
guntaré si puede usted verle — dijo el criado al notar mi
insistencia y mi premura.

Me avine a [48] esperar. El criado abrió las maderas [49] del
gabinete, en cuyo ambiente flotaban esencias y olor de
cigarro. ¡Cuándo pienso en lo distinta que sería mi suerte
si aquel criado me hace [50] pasar inmediatamente a la alcoba . . . !

Lo cierto es . . . que al primer alegre rayo de sol que
cruzó las vidrieras, y antes de que el criado me dijese «tome
usted asiento,» yo había visto brillar sobre el ribete de paño
azul [51] de la piel de oso blanco, tendida al pie del muelle
diván turco, ¡la perla, la perla rosa!

Si esto que me sucedió le sucede a usted, y usted me pregunta qué debe hacerse en tales circunstancias, yo respondo

---

[46] **altas relaciones** relations in high places
[47] **entraré** I'll take in   [48] **me avine a** I agreed
[49] **maderas** shutters
[50] **hace = hiciera** *The present indicative is used here for emphasis.*
[51] **ribete . . . azul** blue cloth border

de seguro con gran energía: «Coger una espada de la panoplia que supera [52] el diván, y atravesársela por el pecho al
que duerme ahí al lado, para que nunca más despierte.»

¿Sabe usted lo que hice? Me bajé;[53] recogí la perla; la
guardé en el bolsillo; salí de aquella casa; subí a la mía;
encontré a mi mujer levantada y muy desencajada; la miré,
y no la ahogué; con voz tranquila la ordené que se pusiese
los pendientes; saqué la perla del bolsillo ... y cogiéndola
entre dos dedos, la dije: «Aquí está lo que perdiste. ¿Qué
tal si lo encontré pronto? » [54]

Es cierto que al acabar me dió no sé qué arrechucho [55] o
qué vértigo [56] de locura; eché mano a aquellas orejas diminu-
tas, arranqué de ellas los pendientes, y todo lo pisoteé. Por
fortuna, pude dominarme en el acto [57] ... y bajar la escalera y refugiarme en el café más próximo, donde pedí
cognac ...

¿Que si [58] he vuelto a ver a Lucila? ... Una vez ... Iba
del brazo de otro, que ya no era Gonzaga. Por cierto que
me fijé en que el lóbulo de la oreja izquierda lo tiene partido.
Sin duda se lo rasgué yo ... involuntariamente.

[52] **supera** is over
[53] **me bajé** I stooped down
[54] **¿Qué ... pronto?** Didn't I find it fast though?
[55] **arrechucho** impulse
[56] **vértigo** fit
[57] **en el acto** at once
[58] **que si = quiere saber si** You want to know whether

EJERCICIOS

I. Contéstese en español:

1. ¿Dónde vió Lucila las dos perlas color de rosa que tanto le
entusiasmaron?

2. ¿Su marido tenía dinero suficiente para comprarlas?

3. Descríbase la apariencia de Gonzaga Llorente.

4. ¿Cómo recibió Lucila al marido cuando llegó a casa con su regalo?

5. ¿Quién cenó con el matrimonio el día siguiente?

6. ¿A dónde se fueron después de la cena?

7. ¿Quién descubrió la pérdida de una de las perlas?

8. ¿Cómo reaccionó Lucila al saber esto?

9. ¿Dónde buscó Lucila la perla perdida?

10. ¿Qué preguntas le hizo su marido?

11. ¿Cómo le contestó Lucila?

12. ¿Por qué fué el marido a la casa de su amigo la mañana siguiente?

13. ¿Qué sorpresa le esperaba allí?

14. Descríbase las reacciones del marido al encontrar la perla.

15. Al regresar a casa, ¿qué hizo?

16. ¿Volvió a ver a Lucila?

17. ¿Le parece a usted justo el fin de este cuento?

II. Otros temas de conversación:

1. La atracción de las joyas
2. La pérdida de una cosa de valor
3. Los escaparates

III. Composición. Tradúzcase al español:

Lucila wants her husband to buy the pearls she sees in the display window, even though they are very expensive. But she knows that he probably doesn't have the money; therefore, she is surprised that he is able to bring them home to her the next day. Perhaps at that moment Lucila loves him a little bit. Her ears flush with pleasure when he takes off the simple gold earrings she has on and puts in their place the magnificent rose colored pearls.

The next afternoon Lucila fears that she has lost one of her pearls for she can't find it anywhere. She looks all over the house, shakes the curtains, moves the furniture, examines drawers, but with no luck. Finally her husband finds the lost pearl at the house of his friend, thus discovering at the same time his wife's infidelity.

La mano del Comandante Aranda

Alfonso Reyes

Alfonso Reyes

ALFONSO REYES (1889–) is a Mexican who has gained international recognition as an essayist, critic, poet, and humanist. He is an original and witty writer with a mind that moves freely and fearlessly among ideas. He looks at people and things with great penetration and records their essence. Rich in erudition, his works attest a skillful combination of artistry and scholarship. His style is opulent, supple and graceful, and his language is fresh, forceful and delicate. By many he is regarded as one of the finest contemporary stylists writing in Spanish.

Reyes' short stories are not so well known as much of his other work. Two collections have been published: *El plano oblicuo* (1920) and *Quince presencias* (1955), the latter a compilation of stories written between 1915 and 1954. *La mano del Comandante Aranda* is a good example of Reyes' buoyant fancy, his subtle sense of humor, and his ability to balance gracefully on the tightrope between reality and fantasy.

La mano del Comandante Aranda

Alfonso Reyes

El Comandante Benjamín Aranda perdió una mano en acción de guerra, y fué la derecha, por su mal. Otros coleccionan manos de bronce, de marfil, cristal o madera, que a veces proceden de estatuas e imágenes religiosas o que son antiguas aldabas; y peores cosas guardan los cirujanos en bocales de alcohol. ¿Por qué no conservar esta mano disecada, testimonio de una hazaña gloriosa? ¿Estamos seguros de que la mano valga menos que el cerebro o el corazón?

Meditemos. No meditó Aranda, pero lo impulsaba un secreto instinto. El hombre teológico ha sido plasmado en la arcilla,[1] como un muñeco, por la mano de Dios. El hombre biológico evoluciona merced al servicio de su mano, y su mano ha dotado al mundo de un nuevo reino natural, el reino de las industrias y las artes. Si los murallones de Tebas[2] se iban alzando al eco de la lira de Anfión,[3] era su

[1] **plasmado en la arcilla** shaped in clay

[2] **murallones de Tebas** heavy walls of Thebes (ancient Egyptian city)

[3] **Anfión** Amphion. (*A reference to the story of Amphion and Zethus, his twin brother, who obtained possession of Thebes and fortified it by a wall. Am-*

hermano Zeto, el albañil,[4] quien encaramaba [5] las piedras
con la mano. La gente manual, los herreros y metalistas,
aparecen por eso, en las arcaicas mitologías, envueltos como
en vapores mágicos: son los hacedores del portento.[6] Son
Las manos entregando el fuego que ha pintado Orozco.[7] En
el mural de Diego Rivera [8] (Bellas Artes),[9] la mano empuña
el globo cósmico que encierra los poderes de creación y de
destrucción; y en Chapingo,[10] las manos proletarias están
prontas a reivindicar el patrimonio de la tierra.

Los demás sentidos se conforman con la pasividad; el
sentido manual experimenta y añade, y con los despojos
de la tierra, edifica un orden humano, hijo del hombre. Lo
mismo modela el jarro que el planeta, mueve la rueda del
alfar [11] y abre el canal del Suez.[12]

Delicado y poderoso instrumento, posee los más afortunados recursos descubiertos por la vida física: bisagras, pin-
zas, tenazas, ganchos, agujas de tacto, cadenillas óseas,
nervios, ligámenes, canales, cojines, valles y montículos.[13]
Posee suavidad y dureza, poderes de agresión y caricia.

¡Flor maravillosa de cinco pétalos, que se abren y cierran
como la sensitiva, a la menor provocación! ¿El cinco es
número necesario en las armonías universales? ¿Pertenece

---

phion had received a lyre from the god Hermes, on which he played with such
entrancing sounds that the stones moved of their own accord and followed him
to Thebes.)

[4] **albañil** mason
[5] **encaramaba** raised
[6] **hacedores del portento** doers of wonders
[7] **José Orozco** (1883–1949) Mexican painter
[8] **Diego Rivera** (1886–1957) Mexican painter
[9] **Bellas Artes** National Fine Arts Building and Museum in Mexico City
[10] **Chapingo** National Agricultural School in Mexico
[11] **rueda del alfar** potter's wheel
[12] **canal del Suez** canal across the Isthmus of Suez in Egypt connecting the
Mediterranean and Red Seas
[13] **bisagras ... montículos** hinges, pincers, pliers, hooks, needles of touch,
bony little chains, nerves, ligaments, canals, cushions, valleys and hillocks

la mano al orden de la zarzarrosa, del nomeolvides, de la
pimpinela escarlata?[14] Los quirománticos[15] tal vez tengan
razón en sustancia, aunque no en sus interpretaciones
pueriles. Si los fisonomistas de antaño[16] se hubieran pasado de la cara a la mano, completando así sus vagos
atisbos,[17] sin duda lo aciertan.[18] Porque la cara es espejo
y expresión, pero la mano es intervención.

No hay duda, la mano merece un respeto singular, y bien
podía ocupar un sitio predilecto entre los lares del comandante Aranda.

La mano fué depositada cuidadosamente en un estuche
acolchado.[19] Las arrugas de raso blanco fingían un diminuto
paisaje alpestre.[20] De cuando en cuando,[21] se concedía a
los íntimos el privilegio de contemplarla unos instantes.
Pues era una mano agradable, robusta, inteligente, algo
crispada aún por la empuñadura de la espada.[22] Su con-
servación era perfecta.

Poco a poco, el tabú, el objeto misterioso, el talismán
escondido, se fué volviendo[23] familiar. Y entonces emigró
del cofre de caudales[24] hasta la vitrina de la sala, y se le
hizo sitio entre las condecoraciones de campaña y las cruces
de la Constancia Militar.[25]

Dieron en crecerle las uñas,[26] lo cual revelaba una vida

[14] **zarzarrosa ... escarlata** dog rose, the forget-me-not, the scarlet pimper-
nel   [15] **quirománticos** palmists
[16] **fisonomistas de antaño** physiognomists (i.e. face readers) of long ago
[17] **atisbos** observations
[18] **lo aciertan** they would have figured it out correctly
[19] **acolchado** quilted
[20] **fingían ... alpestre** seemed a diminutive Alpine landscape
[21] **de cuando en cuando** from time to time
[22] **algo ... espada** still in a rather tense position from grasping the hilt of
the sword
[23] **se fué volviendo** was becoming
[24] **cofre de caudales** chest of treasures
[25] **Constancia Militar** high military decoration
[26] **dieron ... uñas** its nails began to grow

lenta, sorda, subrepticia. De momento, pareció un arrastre de [27] inercia, y luego se vió que era virtud propia. Con alguna repugnancia al principio, la manicura de la familia accedió a cuidar de aquellas uñas cada ocho días. La mano estaba siempre muy bien acicalada y compuesta.[28]

Sin saber cómo — así es el hombre, convierte la estatua del dios en bibelot —,[29] la mano bajó de categoría, sufrió una *manus diminutio*,[30] dejó de ser una reliquia, y entró decididamente en la circulación doméstica. A los seis meses, ya andaba de pisapapeles [31] o servía para sujetar las hojas de los manuscritos — el comandante escribía ahora sus memorias con la izquierda —; pues la mano cortada era flexible, plástica, y los dedos conservaban dócilmente la postura que se les imprimía.

A pesar de su repugnante frialdad, los chicos de la casa acabaron por perderle el respeto. Al año, ya se rascaban con ella, o se divertían plegando sus dedos en forma de varias procacidades [32] del folklore internacional.

La mano, así, recordó muchas cosas que tenía completamente olvidadas. Su personalidad se fué acentuando notablemente. Cobró conciencia y carácter propios. Empezó a alargar tentáculos.[33] Luego se movió como tarántula. Todo parecía cosa de juego. Cuando, un día, se encontraron con que se había calzado sola un guante [34] y se había ajustado una pulsera por la muñeca cercenada, ya a nadie le llamó la atención.

Andaba con libertad de un lado a otro, monstruoso falderillo algo acangrejado.[35] Después aprendió a correr, con un

---

[27] **un arrastre de** something brought on by
[28] **acicalada y compuesta** polished and adorned
[29] **bibelot** small art object
[30] *manus diminutio* abridgment of power
[31] **pisapapeles** paperweight   [32] **procacidades** obscene gestures
[33] **alargar tentáculos** put out feelers
[34] **se había ... guante** it had put on a glove all by itself
[35] **falderillo algo acangrejado** rather crablike little lap dog

galope muy parecido al de los conejos. Y haciendo «sentadillas» [36] sobre los dedos, comenzó a saltar que era un prodigio. [37] Un día se la vió venir, desplegada, en la corriente
de aire: había adquirido la facultad del vuelo.

Pero, a todo esto, [38] ¡cómo se orientaba, cómo veía! ¡Ah!
Ciertos sabios dicen que hay una luz oscura, insensible para
la retina, acaso sensible para otros órganos, y más si se los
especializa [39] mediante la educación y el ejercicio. ¿Y no
había de ver también la mano? Desde luego, [40] ella completa
su visión con el tacto, casi tiene ojos en los dedos, y la palma
puede orientarse al golpe del aire como las membranas del
murciélago. [41] Nanuk el esquimal, [42] en sus polares y nubladas
estepas, levanta y agita las veletas [43] de sus manos — acaso
también receptores térmicos — para orientarse en un ambiente aparentemente uniforme. La mano capta mil cosas
fugitivas, y penetra las corrientes translúcidas que escapan
al ojo y al músculo, aquéllas que ni se ven ni casi oponen
resistencia.

Ello es que la mano, en cuanto se condujo sola, [44] se volvió
ingobernable, echó temperamento. [45] Podemos decir, que fué
entonces cuando «sacó las uñas.» [46] Iba y venía a su talante.
Desaparecía cuando le daba la gana, volvía cuando se le
antojaba. [47] Alzaba castillos de equilibrio inverosímil con
las botellas y las copas. Dicen que hasta se emborrachaba,
y en todo caso, trasnochaba.

[36] haciendo «sentadillas» sitting back (i.e., ready to spring)
[37] que era un prodigio in a prodigious fashion
[38] a todo esto in all this (i.e., doing all these things)
[39] se los especializa they are specialized, i.e., trained
[40] desde luego of course
[41] murciélago bat
[42] esquimal Eskimo
[43] veletas weathervanes
[44] en cuanto ... sola as soon as it got around by itself
[45] echó temperamento became temperamental
[46] sacó las uñas really got out of hand
[47] se le antojaba it took a fancy to

No obedecía a nadie. Era burlona y traviesa. Pellizcaba las narices a las visitas, abofeteaba en la puerta a los cobradores. Se quedaba inmóvil, «haciendo el muerto,» para dejarse contemplar por los que aún no la conocían, y de repente les hacía una señal obscena. Se complacía, singularmente, en darle suaves sopapos [48] a su antiguo dueño, y también solía espantarle las moscas.[49] Y él la contemplaba con ternura, los ojos arrasados en lágrimas, como a un hijo que hubiera resultado «mala cabeza.» [50]

Todo lo trastornaba. Ya le daba por [51] asear y barrer la casa, ya por mezclar los zapatos de la familia, con verdadero genio aritmético de las permutaciones, combinaciones y cambiaciones; o rompía los vidrios a pedradas,[52] o escondía las pelotas de los muchachos que juegan por la calle.

El comandante la observaba y sufría en silencio. Su señora le tenía un odio incontenible, y era — claro está — su víctima preferida. La mano, en tanto que pasaba a otros ejercicios, la humillaba dándole algunas lecciones de labor y cocina.

La verdad es que la familia comenzó a desmoralizarse. El manco [53] caía en extremos de melancolía muy contrarios a su antiguo modo de ser. La señora se volvió recelosa y asustadiza, casi con manía de persecución. Los hijos se hacían negligentes, abandonaban sus deberes escolares y descuidaban, en general, sus buenas maneras. Como si hubiera entrado en la casa un duende chocarrero,[54] todo era sobresaltos, tráfago [55] inútil, voces, portazos.[56] Las comidas

---

[48] **sopapos** chucks under the chin
[49] **espantarle las moscas** scare the flies away from him
[50] **«mala cabeza»** no-good, black sheep
[51] **Ya . . . por** sometimes it took a notion to
[52] **a pedradas** by throwing rocks
[53] **manco** one-handed man
[54] **duende chocarrero** evil spirit
[55] **tráfago** drudgery
[56] **portazos** doors slamming

se servían a destiempo, y a lo mejor,[57] en el salón y hasta
en cualquiera de las alcobas. Porque, ante la consternación
del comandante, la epiléptica contrariedad [58] de su esposa
y el disimulado regocijo de la gente menuda,[59] la mano
había tomado posesión del comedor para sus ejercicios
gimnásticos, se encerraba por dentro con llave, y recibía
a los que querían expulsarla tirándoles platos a la cabeza.
No hubo más que ceder la plaza:[60] rendirse con armas y
bagajes, dijo Aranda.

Los viejos servidores, hasta «el ama que había criado a
la niña,» se ahuyentaron. Los nuevos servidores no aguan-
taban un día en la casa embrujada. Las amistades y los
parientes desertaron. La policía comenzó a inquietarse ante
las reiteradas reclamaciones de los vecinos. La última reja
de plata que aún quedaba en el Palacio Nacional desapareció
como por encanto. Se declaró una epidemia de hurtos,[61] a
cuenta de [62] la misteriosa mano que muchas veces era inocente.

Y lo más cruel del caso es que la gente no culpaba a la
mano, no creía que hubiera tal mano animada de vida propia,
sino que todo lo atribuía a las malas artes del pobre manco,
cuyo cercenado despojo [63] ya amenazaba con costarnos un
día lo que nos costó la pata de Santa Anna.[64] Sin duda
Aranda era un brujo que tenía pacto con Satanás. La gente
se santiguaba.

La mano, en tanto, indiferente al daño ajeno, adquiría

[57] **a lo mejor** like as not
[58] **epiléptica contrariedad** frantic opposition
[59] **gente menuda** small fry
[60] **no hubo ... plaza** one just had to give in
[61] **hurtos** robberies
[62] **a cuenta de** ascribed to
[63] **cercenado despojo** severed member, i.e., the hand
[64] **Santa Anna** (A reference to the Mexican general and president (1795?–
1876) who lost a leg in battle and capitalized on his loss. Under his leadership
thousands of Mexicans died in wars and revolutions and Mexico lost half of
her territory.)

una musculatura atlética, se robustecía y perfeccionaba por
instantes,[65] y cada vez sabía hacer más cosas. ¿Pues no
quiso continuarle por su cuenta las memorias al comandante?[66] La noche que decidió salir a tomar el fresco en
automóvil, la familia Aranda, incapaz de sujetarla, creyó
que se hundía el mundo. Pero no hubo un solo accidente,
ni multas, ni «mordidas.»[67] Por lo menos — dijo el comandante — así se conservará la máquina en buen estado, que
ya amenazaba enmohecerse [68] desde la huída del chauffeur.

Abandonada a su propia naturaleza, la mano fué poco a
poco encarnando la idea platónica que le dió el ser, la idea
de asir, el ansia de apoderamiento. Al ver, sobre todo, cómo
perecían las gallinas con el pescuezo retorcido, o cómo
llegaban a la casa objetos de arte ajenos — que luego Arando
pasaba infinitos trabajos [69] para devolver a sus proprietarios,
entre tartamudeos [70] e incomprensibles disculpas —, fué ya
evidente que la mano era un animal de presa y un ente
ladrón.

La salud mental de Aranda era puesta ya en tela de
juicio.[71] Se hablaba, también, de alucinaciones colectivas,
de los *raps* o ruidos de espíritus, y de otras cosas por el
estilo.[72] Las veinte o treinta personas que de veras habían
visto la mano no parecían dignas de crédito cuando eran
de la clase servil, fácil pasto a [73] las supersticiones; y cuando
eran gente de mediana cultura, callaban, contestaban con
evasivas [74] por miedo a comprometerse o a ponerse en ridí-

[65] **por instantes** uninterruptedly
[66] **Pues ... comandante** Didn't it try to continue the commander's mem-
oirs for him on its own?
[67] **«mordidas»** bribes (to pay a policeman)
[68] **enmohecerse** to get rusty
[69] **pasaba ... trabajos** went to all kinds of trouble
[70] **tartamudeos** stammerings
[71] **en ... juicio** in doubt
[72] **por el estilo** of a like nature
[73] **fácil pasto a** easily swayed by
[74] **evasivas** evasive remarks

culo. Una mesa redonda de la Facultad de Filosofía y Letras se consagró a discutir cierta tesis antropológica sobre el origen de los mitos.

Pero hay algo tierno y terrible en esta historia. Entre alaridos de pavor, se despertó un día Aranda a la media noche: en extrañas nupcias, la mano cortada, la derecha, había venido a enlazarse con su mano izquierda, su compañera de otros días, como anhelosa de su arrimo.[75] No fué posible desprenderla. Allí pasó el resto de la noche, y allí resolvió pernoctar [76] en adelante. La costumbre hace familiares los monstruos. El comandante acabó por desentenderse.[77] Hasta le pareció que aquel extraño contacto hacía más llevadera su mutilación y, en cierto modo, confortaba a su mano única.

Porque la pobre mano siniestra, la hembra, necesitó el beso y la compañía de la mano masculina, la diestra. No la denostemos.[78] Ella, en su torpeza, conserva tenazmente, como precioso lastre,[79] las virtudes prehistóricas, la lentitud, la tardanza de los siglos en que nuestra especie fué elaborándose. Corrige las desorbitadas audacias, las ambiciones de la diestra. Es una suerte — se ha dicho — que no tengamos dos manos derechas: nos hubiéramos perdido entonces entre las puras sutilezas y marañas [80] del virtuosismo; no seríamos hombres verdaderos, no: seríamos prestidigitadores. Gaugin [81] sabe bien lo que hace cuando, como freno a su etérea sensibilidad, enseña otra vez a su mano diestra a pintar con el candor de la zurda.[82]

Pero, una noche, la mano empujó la puerta de la biblioteca

[75] **como ... arrimo** as if desiring to be close to it
[76] **pernoctar** spend the night
[77] **acabó por desentenderse** ended by paying no attention to it
[78] **no la denostemos** let us not belittle it (i.e., the left hand)
[79] **lastre** quality of steadiness
[80] **marañas** complexities
[81] **Gaugin** French painter (1848–1903)
[82] **zurda** left hand

y se engolfó en la lectura. Y dió con un cuento de Maupassant [83] sobre una mano cortada que acaba por estrangular
al enemigo. Y dió con una hermosa fantasía de Nerval,[84]
donde una mano encantada recorre el mundo, haciendo
primores y maleficios.[85] Y dió con unos apuntes del filósofo
Gaos [86] sobre la fenomenología [87] de la mano . . . ¡Cielos!
¿Cuál será el resultado de esta temerosa incursión en el
alfabeto?

El resultado es sereno y triste. La orgullosa mano inde-
pendiente, que creía ser una persona, un ente autónomo,
un inventor de su propia conducta, se convenció de que no
era más que un tema literario, un asunto de fantasía ya muy
traído y llevado [88] por la pluma de los escritores. Con pesadumbre y dificultad — y estoy por decir que derramando
abundantes lágrimas — se encaminó a la vitrina de la sala,
se acomodó en su estuche, que antes colocó cuidadosamente
entre las condecoraciones de campaña y las cruces de la
Constancia Militar, y desengañada y pesarosa,[89] se suicidó
a su manera, se dejó morir.

Rayaba el sol cuando el comandante, que había pasado
la noche revolcándose [90] en el insomnio y acongojado [91] por
la prolongada ausencia de su mano, la descubrió yerta, en
el estuche, algo ennegrecida y como con señales de asfixia.
No daba crédito a sus ojos. Cuando hubo comprendido el
caso, arrugó con nervioso puño el papel en que ya solicitaba
su baja [92] del servicio activo, se alzó cuan largo era,[93] re-

---

[83] **Maupassant** French short story writer (1850–1893)
[84] **Gérard de Nerval** French writer (1808–1855)
[85] **haciendo . . . maleficios** doing fine things and casting evil spells
[86] **José Gaos** Spanish philosopher, now professor at the University of
Mexico
[87] **fenomenología** phenomenology, the science of facts or events concerned
with phenomena, or strange and unaccountable things
[88] **muy . . . llevado** very worked over

[89] **pesarosa** sorrowful	[90] **revolcándose** tossing about
[91] **acongojado** upset	[92] **baja** resignation

[93] **se alzó . . . era** he straightened up to his full height

asumió su militar altivez y, sobresaltando a su casa, gritó
a voz en cuello:[94]

— ¡Atención, firmes! [95] ¡Todos a su puesto! ¡Clarín de
órdenes,[96] a tocar la diana de victoria!

[94] **a voz en cuello** at the top of his voice
[95] **firmes** Fall in!
[96] **clarín de órdenes** bugler

EJERCICIOS

I. Contéstese en español:

1. ¿Cómo perdió la mano el Comandante Aranda?
2. Descríbase algunos valores de la mano.
3. ¿Quiénes son Rivera y Orozco?
4. ¿Dónde fué depositada la mano del comandante?
5. ¿Quién se cuidó de las uñas de la mano?
6. ¿Qué escribía el comandante?
7. ¿Cómo le ayudaba la mano cortada en esta tarea?
8. ¿Por qué bajó de categoría la mano y perdió el respeto de los chicos?
9. ¿Le sorprendió mucho a la gente saber un día que la mano se había calzado sola un guante?
10. ¿Cómo era el correr de la mano?
11. ¿Podía ver la mano?
12. Descríbase algunas de sus travesuras.
13. ¿Por qué le tenía un odio incontenible la señora de Aranda?
14. ¿Dónde se servían unas de las comidas en casa de los Aranda?
15. ¿Cómo reaccionaron los criados ante las cosas raras que pasaban?
16. ¿Por qué no culpaba la gente a la mano por todos los hurtos?
17. ¿Por qué se santiguaba la gente al pensar en el Comandante Aranda?
18. ¿Qué pasó cuando la mano salió a tomar el fresco en automóvil?
19. ¿Dónde pasaba la noche la mano cortada? ¿Por qué?

20. ¿Cuáles son algunas diferencias entre la mano diestra y la izquierda?

21. ¿Qué pasó cuando la mano se engolfó en la lectura?

22. ¿Cómo se suicidó la mano?

23. ¿Quién la descubrió yerta y muerta? ¿Cómo reaccionó?

II. Otros temas de conversación:

1. Los mancos
2. Las travesuras de los niños
3. Los hurtos

III. Composición. Tradúzcase al español:

What would we do without our right hand? We use it for so many things. It is, at the same time, a delicate and powerful instrument. We use it for eating, writing, touching, almost everything one can think of. Some people are left-handed and can do things just as well with their left hand as others do with their right. It would be very hard to get along, if we were to lose a hand like Commander Aranda.

He was most unfortunate. Not only was his hand cut off in battle, but later on it came to life again to molest him and his family. Its nails grew, it wore gloves and a wrist band, learned to drive the car and did all sorts of astonishing things. We never heard of such a thing.

Vocabulary

Vocabulary

Not included in the vocabulary are the following: words or phrases which are translated in the footnotes and which do not appear elsewhere in the text; most adverbs ending in –mente when the adjectives on which they are based appear; most past participles used as adjectives when their infinitives are given; the articles; subject, object and reflexive personal pronouns; most demonstrative and possessive adjectives and pronouns; cardinal numbers; very obvious diminutives and cognates. Any word with a special meaning or use is included, even though it may be identical in English. Idioms are listed under the verb; if there is no verb involved, they are usually given under the noun.

If the gender is not indicated, a noun is masculine if it ends in –o, feminine if it ends in –a, –ión, –dad, –tad or –tud. A dash (—) indicates the repetition of the key word.

The following abbreviations are used: *adj.*, adjective; *Amer.*, Americanism; *dim.*, diminutive; *f.*, feminine; *inf.*, infinitive; *m.*, masculine; *pl.*, plural; *theat.*, theatrical.

A

a to, toward; at; in; in order to; for; from; — **que** until; I'll bet that

abajo under, below; **de arriba** — up and down

abandonar to abandon

abanico fan

abismo abyss

abofetear to slap

abordar to accost

aborrecer to hate

abrazar to embrace

abrazo embrace

abrigo overcoat

abrir to open; — **paso a** to give way to; — **de par en par** to open wide

abuelo grandfather

abundar en to abound, to be full of

aburrido boring; bored

acá here

acabar to end; — **por** to end by; — **de** + *inf.* to have just

acaecido happened

acariciar to caress

acaso perhaps

acceder a to agree to

acentuar to accentuate

acera sidewalk

acerca de about

acercarse to approach

acertar (ie) to hit upon; to find; to succeed

aclaración explanation

acomodarse to adjust oneself; to settle down; to sit down

acompañar to accompany

acompasadamente rhythmically; regularly

acongojado distressed

aconsejar to advise

acordarse de (ue) to remember

acostarse (ue) to go to bed

acostumbrar to accustom

actitud attitude

acto act; **en el —** at once

actriz *f.* actress

actual present; actual

acuchillar to knife

acudir to come; to hasten

acuerdo accord, agreement

acuñar to coin

adelantado in advance

adelantar to advance, to move forward; **—se** to be ahead of time

adelante ahead, forward; **en —** in the future; from then on; **más —** later

ademán *m.* gesture

además besides

adentro within

aderezar to prepare

adiós goodbye

adivinador diviner; good guesser

admirador admirer

admitir to admit; to accept

adornar to adorn; to furnish; to give

adorno adornment, furbelow

adquirir (ie) to acquire

adulador flattering

adúltero adulterous

advertencia warning; observation

advertir (ie, i) to warn; to notice

afable pleasant

afán *m.* eagerness; anxiety

afear to make ugly; to disfigure

afecto affection

afeminar to make effeminate

afición fancy; fondness

aficionado fond of

afilado sharp; thin

afinar to refine

afirmar to affirm; to assert

afligir to upset

afortunado fortunate

afuera outside

agacharse to squat

agalla gill

agarrar to seize

agitar to shake; to excite; to wave

agobiar to exhaust

agradable agreeable

agradar to please

agradecer to be grateful

agradecimiento thanks

agregar to add

agrupar to group

agua water

aguantar to endure

aguardar to wait for

agudo sharp

águila eagle

aguja needle; hand (of clock)

agujero hole
ahí there, yonder; por — around
    there
ahogar to choke
ahora now
ahumado smoky; dark
aire *m.* air
ajeno foreign; belonging to
    another
ajustar to adjust
al (a + el) (with expressions of
    time) after; — + *inf.* upon +
    present participle
ala wing; brim (of hat)
alarido howl
alarmarse to become alarmed
alberca swimming pool
albo snow-white
alborotar(se) to riot; to get
    excited
albura whiteness
alcalde *m.* mayor; — del crimen
    criminal judge
alcance *m.* reach
alcanzar to reach
alcoba bedroom
alcurnia lineage
aldaba door knocker
aldea village
alegre happy
alegría happiness
alejarse to move away
alfiler *m.* pin
alfombra rug
algo something; rather
alguacil *m.* bailiff; constable
alguien somebody
alguno some
alimento food
aliviar to alleviate, to make more
    tolerable
alma soul
almacén *m.* store
almacenero storekeeper
almorzar (ue) to lunch

almuerzo lunch
alpargata sandal
alquilar to rent
alrededor around; — de about
altisonante high-flown
altivez haughtiness
alto high; tall
altura height
alucinación hallucination
alumbrar to illuminate
alzar to raise; to lift up; to
    erect; — los hombros to shrug
    one's shoulders
allá there; más — beyond
allegar to approach; to arrive
allí there; de — que that's
    why
ama housekeeper; wet nurse
amabilidad amiability
amable amiable
amanecer to dawn; al — at
    dawn, at daybreak
amante fond; *m. & f.* lover
amar to love
amargar to embitter
amargo bitter
amargura bitterness
amarillo yellow
amarrar to tie
ambiente *m.* atmosphere; envi-
    ronment
ambigüedad vagueness
ámbito limit; scope
amenazar to threaten
americana coat
amigo friend
amistad friendship; friend
amor *m.* love
amostazado provoked
amplio ample
anchamente widely; in great de-
    tail
ancho wide
andar to walk; to go; to go on;
    — de to act as; to serve as

andén *m.* railway platform
angelito *dim. of* ángel angel
angosto narrow
ángulo angle
angustiarse to become distressed
angustioso distressed; painful
anheloso desirous
animar to animate; to cheer up; to brighten
ánimo spirit; encouragement; mind
animoso courageous
anoche last night
anotar to take note of; to note
ansia anxiety
ante before
anterior previous
antes before; first; rather; — de before
antiguo old; former
antojadizo capricious
antojarse to imagine, to fancy; —le a uno to occur to one
antojo fancy; whim
anuncio announcement
anzuelo fishhook; bait
añadir to add
año year
apagado dim; faint; out (said of lights)
apagar to turn out (lights); to muffle; to dim
aparecer to appear
aparentar to pretend
apariencia appearance
apartar to separate; to move away; no — la vista not to take one's eyes from
aparte *m.* aside (remark)
apenas scarcely
apercibir to prepare
aperitivo aperitif, appetizer
apetecible desirable; appetizing
apetitoso appetizing
aplaudir to applaud

apoderamiento seizing power (*or* things)
apoderarse de to seize, to take hold of
apostar (ue) to bet
apoyado leaning against
aprender to learn
aprendizaje *m.* apprenticeship
apresurado hasty
apresurarse a to hurry
apretar (ie) to squeeze; to tighten
aprisa hurriedly
aprisionado imprisoned
aprobación approval
aprontar to have ready
apropiado appropriate
aprovechar to take advantage; to make use of
aproximarse to approach
apuesto elegant
apuntar to aim; to point out
apunte *m.* note
apurar to hurry; to worry; to drain
aquel, aquella that; aquellos, aquellas those; aquél etc. that one, the former; aquello that, that matter
aquí here; de — que hence
araña spider
araño scratch; dig (sharp remark)
árbol *m.* tree
arbustillo small shrub
arca chest
arcaico archaic
arcángel *m.* archangel
ardiente ardent
arena sand
arenisco sandy
arete *m.* earring
arisco surly
aritmético arithmetical, mathematical
arma weapon, arm

Vocabulary

armonía harmony
arrancar to tear
arrasar to fill to the brim
arrebatar to seize
arreglar to arrange
arremeter to attack
arremolinar to whirl; to crowd about; to mill around
arriba up, above; **de — abajo** up and down
arrimarse to get close to
arrojar to throw
arrollar to roll
arruga wrinkle
arrugar to wrinkle, to crumple
artefacto artifact; contrivance
arteria artery
asa handle
asaltar to assault
asear to tidy up
asegurar to assure; to assert
asfixia asphyxiation
así thus; **— que** as soon as
asiento seat
asir to seize
asistir to assist; to attend
asomar to appear at
asombroso surprising
astillero shipyard
asunto matter, affair
asustadizo skittish, easily frightened
atacante *m. & f.* attacker
ataque *m.* attack
atención attention; **en — a** in view of
atento attentive
aterrado terrified
atisbar to watch
atracado moored
atractivo attraction
atrapar to catch; to grab
atrás behind
atravesar (ie) to cross; to pierce
atreverse a to dare

atrevido daring
atrevimiento boldness
atrio porch; **— de la iglesia** church courtyard
audacia audacity
audaz audacious
auditivo auditory
aun, aún yet; still; even
aunque although
ausencia absence
autómata *m.* automaton
autónomo autonomous, independent
avanzar to advance
ave *f.* bird
avenirse (ie) to correspond; to agree; **— con** to get along with; to adjust oneself to
aventurar to venture
aventurero adventurer
averiguar to ascertain
avión *m.* airplane
avisar to notify; to warn
aviso information; warning
axioma *m.* axiom
¡ay! alas!
aya governess
ayudar to help
ayuno fast
azar *m.* chance; disappointment; hazard; unforeseen disaster
azotar to whip
azul blue

B

bagaje *m.* baggage
bailar to dance
bailarina dancer, ballerina
baile *m.* dance
bajar to go down; to lower; to get out of; to come off; to diminish; to lose (category); to come down
bajo under; below; short

balancearse to swing, to sway
balaustrada balustrade
balbucir to stammer
bambalinas *pl.* flies (the space over the stage in a theater with paraphernalia for handling scenery)
banco bank; bench
bandeja tray
bañar to bathe
bañista bather
barato cheap
barba beard; chin; *m.* old man *theat.*
bárbaro barbarous
barco boat; ship
barra bar; railing
barrer to sweep
barretina beret
barrio district, quarter (of a city)
barro clay
bastar to suffice, to be enough
bastidor *m.* wing *theat.*
bastón *m.* cane
batalla battle
beatitud beatitude, holiness; bliss
beber to drink
bellaco rascal
belleza beauty
bello beautiful
beneficio good deed
benevolencia benevolence, kindness
besar to kiss
beso kiss
biblioteca library
bicho insect
bien well; o — or else; más — rather; *m.* goodness; welfare; good
billete *m.* ticket; bill; lottery ticket
biombo screen
bizcocho biscuit; cake
blanca small coin; sin — with-

out any money, completely broke
blanco white
blando bland, soft
blusa blouse
bobo fool
boca mouth; por — de through
bocal *m.* narrow-mouthed pitcher (*or* jug)
bocanada puff (of smoke); mouthful
boda wedding
bola ball
boleto ticket
bolsillo pocket
bollo roll
bonachón good-natured
bondad kindness
bonito pretty, good looking
boquita *dim. of* boca
borde *m.* border
bordear to border
bordo: a — on board
borrachera drunkenness
borracho drunk
borrar to erase
borrascoso stormy
bostezar to yawn
botella bottle
botón *m.* button
bóveda dome; firmament
brasileño Brazilian
brazalete *m.* bracelet
brazo arm
breve brief
brillante *m.* brilliant, sparkling stone
brillar to shine
brincar to leap
brinco leap, hop
broma joke; nuisance
bromear to joke
bronce bronze
brujo witch; wizard
brújula compass

brumoso misty
bruscamente brusquely
bruto brutish; stupid
bueno good; well
bulbo bulb
bulto bulk
bullicio bustle
buque *m.* ship
burgués bourgeois
burla joke
burlarse (de) to make fun (of)
burlón prankish
buró bureau
buscar to look for

C

caballero gentleman; knight
cabellera hair
cabello hair
caber to be contained in; to fit;
no cabía duda there was no
doubt
cabeza head
Cabildo town hall
cabo end; al — at last; after
all
cacareo cackling
cada each; — vez más gradually
cadena chain
caer to fall
caída fall; fallen one
caja box; space between the
wings of the theater off stage
cajero cashier
cajón *m.* drawer
cálculo calculation
calentar to warm
calentito *dim. of* caliente
calidad quality; en — de in the
capacity of
caliente hot
calofrío chill; tingle
calzar to wear; to put on (shoes
or gloves)

callar to be silent; to keep silent
about
calle *f.* street
camarada *m.* comrade
camarista maid
cambiación change
cambiar to change
cambio: en — on the other hand
caminar to walk
camisa shirt
camisón nightshirt; chemise
campana bell
campanada peal
campanario bell tower
campaña campaign
cana gray hair
candor *m.* candor, frankness
canoa canoe
cansar to tire
cantar to sing
cantina tavern
cantinero bartender
cañonazo cannon shot, salvo
caos *m.* chaos
capaz capable
capitán captain
capricho caprice
caprichoso capricious
cápsula capsule
captar capture
capuchina nasturtium
cara face
caracola sea shell
carácter *m.* character
¡caramba! confound it!
caramelo caramel, taffy
carbón charcoal, coal
carcajada guffaw
cardenal black and blue mark
cargar to load; to carry
cargo burden; hacerse — de to
take charge of
caricia caress
caridad charity
cariño affection

cariñoso affectionate
caritativo charitable
carmín carmine
carne *f.* flesh, meat
carnosito fleshy, plump
carrera career
carro cart; auto; coach; car
carta letter
cartera wallet
casa house; household
casadero marriageable
casamiento marriage
casar(se) to marry
cascabel *m.* bell
cascada cascade
casi almost
casino gambling house; club
caso case; **en todo —** in any case
castaño chestnut
castillo castle
casto chaste
casualidad chance
categoría category, rank
catiri *Amer.* blond
catre *m.* cot
caudal *m.* wealth; treasure
causante causing
cautela caution
cautivar to captivate; to take prisoner
cavado dug
caverna cavern
caza prey
cazador hunter
cazadora jacket
cazar to hunt
cegar to blind
célebre celebrated, famous
celo zeal; *pl.* jealousy
cenar to have supper
ceniciento ashen
ceniza ash
cenizoso ashy
centavo cent

central central; *m.* center; headquarters
ceñir to girdle; to go around
ceño frown; **— arrugado** knit brow
cepillar to brush
cera wax
cerca near; **— de** near
cercano neighboring
cercenar to sever
cerco ring
cerdo pig
cerebro brain
cerrar (ie) to close
cerveza beer
cesar to cease
ciego blind
cielo heaven; sky
ciencia science; knowledge
cierto certain
cigarro cigarette; cigar
cincel *m.* chisel
cinismo cynicism
circo circus
círculo circle
circunstancia circumstance
cirujano surgeon
cisne *m.* swan
cita date
citar to make an appointment with
claro clear; of course
clase *f.* class, kind
clavo nail
cliente *m. & f.* customer
cobijar to shelter
cobrador collector
cobrar to collect; to cash; to acquire
cobre *m.* copper
cocina kitchen; **lecciones de —** cooking lessons
cochino pig
codiciado coveted
coger to seize; to take; to get hold of

cojera limp
cojo lame, crippled
cola tail
colchón *m.* mattress
colgar to hang
colmar de to shower with
colmena hive
colocar to place; to pass (a coin)
colorado red
collar *m.* necklace
comadre *f.* fellow gossip; woman
 friend
comandante *m.* commander
comedor *m.* dining room
comenzar (ie) to begin
comer to eat
comerciante *m.* merchant
comercio commerce, business;
 casa de — business house
comida meal
como as; like; as if; so to speak
cómo how; what
compañero companion
compañía company
comparación comparison
comparar to compare
comparsa *theat.* extra
compeler to compel
competir (i) to compete
complacerse en to take pleasure
 in
complacido complacent, satisfied
cómplice *m. & f.* accomplice
componer to compose
compra purchase; sale; ir a —s
 to go shopping
comprar to buy
comprender to understand
comprometer to compromise; to
 promise
compromiso compromise; date;
 compromising situation
compuesto composed; adorned
con with; — que so then
concebir (i) to conceive

concejal *m.* alderman, councilman
concluir to conclude
concreto concrete
concha shell
conde *m.* count
condecoración decoration of
 honor
condenar to condemn
condesa countess
condiscípulo school mate
conducir to lead
conejo rabbit
confianza confidence
confiar to trust; to entrust
confín *m.* boundary
confraternidad brotherliness, fel-
 lowship
conjunto whole
conmovedor moving (emotion-
 ally)
conmovido moved
conocer to know, to be acquainted
 with; to get acquainted with;
 to recognize; — palmo a palmo
 to know every inch of
conocimiento knowledge, ac-
 quaintance
conquistar to conquer
consagrar to consecrate; to de-
 vote
consecuencia consequence; en
 su — consequently
conseguir (i) to obtain; to succeed in
consejo advice
consentir (ie) to spoil
consignar to point out
constancia proof; Constancia
 Militar high military decoration
contado: al — cash, for cash;
 por de — naturally
contaduría box office
contar (ue) to count; to relate;
 — con to count on

contendiente *m.* & *f.* contender
contestación answer
contestar to answer
contienda dispute
contra against
contraer to contract
contratono countertone
convencer to convince
convenir (ie, i) to be fitting; to suit; — en to agree
conversador conversationalist
convidado guest
convidar to invite
convulso convulsed
copa cup; wine glass; drink
copón large cup or goblet
coquetear to flirt
coquetería flirting, coquetry
corazón *m.* heart
corbata tie
corral *m.* yard
corregidor *m.* mayor
corregir (i) to correct
correr to run; to move; to draw aside; a todo — at full speed; — mundo to travel about; *m.* the movement; the running
corresponder to correspond; to belong to
corriente *m.* current; ordinary, common; al — de to be informed about
corrompido corrupt
cortar to cut
corta-rostro *m.* face slasher
corte *f.* court
cortina curtain
corto short
cosa thing; — de a matter of
cósmico cosmic, universal
cosmos *m.* universe
cosquilla tickle
costado side
costumbre *f.* custom; como de — as usual

costurón *m.* big scar
coyuntura juncture; opportunity
cráneo cranium
crecer to grow
crecido large; swollen
crédito credit; credence, belief
creer to believe
criado servant
crianza rearing
criar to raise, to rear; to nurse
criatura creature; child
crimen *m.* crime
cristal *m.* crystal, glass; pane of glass
crítico critic
cronista *m.* chronicler
cruz *f.* cross
cruzar to cross
cuadro picture, painting
cuajado jammed
cual as; which; who
cuál which; what
cualquiera any; anyone
cuan as
cuando when; de — en — from time to time; — menos at least
cuándo when
cuanto all that; en — as soon as; while; en — a as for; — antes as soon as possible
cuánto how much
cuaresma Lent
cubrir to cover
cucú *m.* call of the cuckoo
cuchichear to whisper
cuello neck
cuenta bill; account; a — de ascribed to
cuento story
cuero skin
cuerpo body
cuervo crow
cuestión question, matter
cueva cave

cuidado care; caution; careful, watch out!
cuidar to care for; to heed
culebra snake
culpa blame
culpar to blame
cultivo cultivation
culto cultured
cumplir to fulfill; to keep a promise
cúmulo heap
cuñada sister-in-law
cura *m.* priest
curar to cure
custodia custody
custodio custodian
cuyo whose

CH

chaleco vest
charla chatter
charlar to chatter
chico small; child
chiminea chimney; fireplace
chino Chinese
chiquitín *m.* tiny child
chirlo slash
chisme *m.* gossip
chismoso gossipy
chispa spark; live wire
chocar to shock; to collide
cholo half breed
choque *m.* collision, clash
chulo flashy; good looking
chupar to suck

D

dádiva gift
dama lady
danza dance
danzar to dance
dañar to damage
daño damage, harm

dar to give; — **a** to face on; — **con** to come across; to meet; — **crédito a** to believe; —**se cuenta de** to realize; — **de beber** to water; — **en** + *inf.* to begin to; — **la gana** to feel like; — **las doce** to strike the hour of midnight; — **por** to consider as; —**se por vencido** to give in; — **vuelta** to turn; to twirl; **me dió no sé qué arrechucho** I don't know what impulse came over me
dato fact
debajo (de) under
deber to owe; — + *inf.* must, ought; *m.* duty
decididamente decidedly; unquestionably
decidor witty
décima ten line Spanish stanza of octosyllables
decir (i) to say, to tell; to speak; **es** — that is to say; —**se para sus adentros** to say to oneself
dedo finger
defecto defect
deferente deferential
dejado negligent; slovenly
dejar to leave; to allow, to let; — **de** to stop; **no** — **de** not to fail to
delante (de) before; in front of; **por** — before
deleite *m.* delight
delgado thin
delicioso delicious, delightful
delirante delirious
delito crime
demás other, the rest of; **por lo** — besides
demasiado too much
demonio devil; **¿Cómo demonios ...?** How in the devil ...?

denso dense, thick
dentro (de) within; por — on the inside
deparar to provide
dependiente *m. & f.* clerk, employee
derecho right; straight; *m.* right; law
derramar to shed
derredor: en — de around
derrota defeat
desabrochar to unfasten
desamparado forsaken; without protection
desamueblado unfurnished
desaparecer to disappear
desasosiego uneasiness
desastre *m.* disaster
desatar to untie; to unleash
desayuno breakfast
descalzar to take off (footwear)
descansar to rest
descanso rest
descender to descend; to get off
desconfiar to mistrust; to become suspicious
desconocido unknown; stranger
desconsolado disconsolate
describir to describe
descubrir to discover
descuidar to neglect
descuido slight
desde from; since; — luego of course
desdén *m.* disdain
desdeñar to disdain, to scorn
desdeñosamente scornfully
desdicha misfortune
desempeñar to play (a role)
desencadenar to let loose
desencajado agitated, upset
desenganchar to unhook
desengañado disillusioned
desenroscar to uncoil
desenvolver to develop

desgarrado ragged
desgarrar to tear
desgracia misfortune
desgraciado unfortunate one
deshacerse en to burst into
desierto desert
designio design; intention
desigual unequal; ill matched
desistir to desist
deslizar to slip; to glide
deslumbrador dazzling
desmayar to faint
desmoralizarse to become demoralized
desnudo naked
desollar to skin, to flay
desorbitado crazy
desorden *m.* disorder
despachar to dispatch; to sell
despavorido terrified
despedir (i) to discharge, to dismiss; —se de to say goodbye, to take leave of
desperdicio waste; leftover; *pl.* remains
despertar (ie) to awaken
despierto awake
desplegar (ie) to unfold, to open; to spread out
despojo plunder, spoils
desposado newlywed
despreciativo scornful
desprecio scorn
desprender to detach; to take off
después afterward, later, then; — de after
destacar to stand out; to come out
destemplado out of tune; inharmonious; nervios —s on edge
destiempo: a — inopportunely; not on time
destocado hatless
destreza skill
destruir to destroy

desvalido helpless; destitute
desvelo insomnia
detalle *m.* detail
detención care; thoroughness
detrás (de) behind, after
devolver (ue) to give back, to return
devorador devouring
devorar to devour
día *m.* day; de — during the daytime; ocho —s a week
diablo devil; — de devilish
diáfano diaphanous, transparent
diana bugle call
diario daily newspaper
dicha happiness
dichoso happy; lucky
diestro right
dignarse to deign
digno worthy
diminuto diminutive
dinero money
Dios *m.* God
dirección direction; address
dirigir to direct; —se a to address
disculpa excuse
disculparse to apologize
discurrir to invent; to think of
discutir to discuss, to argue
disecado dissected; cut off
disfrazado disguised
disgustado displeased; offended
disgustillo unpleasant little scene
disimulado furtive; disguised
disparate *m.* nonsense; ridiculous amount
dispensar to excuse
disponer to place; to dispose; — de to have at one's disposal
dispuesto ready; disposed
distancia distance; a — at a distance
distinguido distinguished

distraído distracted, absent minded
diván *m.* divan, couch
divertido amusing
divertirse (ie, i) to have a good time
divisar to see
dizque probably; they say
doblar to fold; to buckle
docena dozen
dócilmente docilely; obediently
doler (ue) to ache; to grieve
dolor *m.* grief; pain
dolorido disconsolate
domingo Sunday
dominguero *adj.* Sunday
don, doña (titles used only before Christian names)
doncella maid
donde, dónde where
dorado golden
dormir (ue, u) to sleep; —se to go to sleep
dotar to endow
dote *f.* dowry; endowment; gift, talent
duda doubt; sin — doubtless
dudar to doubt
dueña duenna; chaperon
dueño owner, master
dulce sweet; gentle
durar to last
dureza hardness
duro hard; coin equal to Mexican peso, or five Spanish pesetas

E

ebrio drunk
eco echo
ecuador *m.* equator
echar(se) to throw; to cast; to throw out; to eject; — a to begin; —se de bruces to fall face down; — la culpa a to

blame, to put the blame on;
— una ojeada to glance; —
temperamento to get temperamental; — mano a to seize
edad age
efectivamente as a matter of fact
efecto effect; en — indeed
efusivamente effusively
egoísta egoist; egotistic
ejecutar to execute, to carry out;
to perform
ejercicio exercise
elaborarse to develop
elegido chosen one
elegir (i) to choose
elevar to elevate; to exalt; —se
to rise up
ello it; — es que the fact is that
embajada embassy
embargo: sin — nevertheless
embelesado enchanted
embellecer to beautify
embestida attack
emborracharse to get drunk
embriaguez f. intoxication
embrujado bewitched
emigrar to emigrate; to move
empalidecer to become pale
empequeñecer to dwarf
emperador emperor
empezar (ie) to begin
emplear to employ
empolvar to powder
emprender to undertake
empresa undertaking; management
empresario manager
empujar to push
empuñar to clutch
en in; on; into; at
enaguas pl. petticoats
enamorado lover; amorous; in
love; susceptible to love
enamorarse de to fall in love
with

encaminarse to set out; to go to
encantador charming
encantar to charm
encanto charm; spell
encarnar to incarnate, to embody
encender (ie) to light
encendido lit; flushed
encerrar (ie) to lock; to shut in;
to contain
encima on, upon; — de on;
por — de on top of
encoger to contract, to draw in
or up; —se de hombros to
shrug one's shoulders
encogido bashful; shrinking;
curled up
encomendar (ie) to recommend
encomienda postal parcel post
enconado irritated; bitter
encontrar (ue) to find; —se con
to meet up with, to stumble
upon
encuentro meeting, encounter
endecasílabo hendecasyllable
enemigo enemy
enemistarse con to become es-
tranged from
enérgico energetic
enfáticamente emphatically
enfermedad illness
enfermo ill
enfilar to pass
enfrentar to confront
enfurecido furious
enganchar to hook; to fasten
engañar to deceive
engolfarse to become deeply ab-
sorbed in
enjambre m. swarm
enlazarse con to be linked with
ennegrecido blackened
enorme enormous
enredar to tangle
enroscar to coil around
ensayar to try

enseñar to teach; to show
ensoñador dreamer
ensueño dream
ente *m.* being
entender (ie) to understand
enterarse de to find out about
enternecer to move to pity
enternecido moved to pity; tender(ly)
entero entire
entonces then
entorpecer to dull
entrañas *pl.* entrails; insides; heart
entrar to enter; to take in
entre between; among; in; por — through
entreabierto half-open
entrecejo frown
entregar to deliver
entretanto meanwhile
entretenido amusing
entumecido swollen
entusiasmar to be enthusiastic
envejecer to grow old or out of date; to wear out
envidia envy
envidiar to envy
envolver (ue) to wrap; to envelop
envuelto wrapped, shrouded
epidemia epidemic
época epoch
equilibrio balance
equipaje *m.* luggage
equipar to equip
equipo team; crew
equivocarse to make a mistake
erguir (ye or i, i) to erect; to confront
erizado bristling
errado wrong
esbelto svelte, slim
escalera ladder; stairs
escalón step

escama scale
escándalo scandal; commotion
escaparate *m.* show window; store window
escasear to be scarce
escaso scarce
escena scene; stage
escenario stage
escéptico skeptic
escoba broom
escobilla brush
escocés Scotch
escoger to choose
escolar scholastic
escoltar to escort
esconder to hide
escondidas: a — secretly
escribir to write
escritor writer
escrutador scrutinizing
escrutar to scrutinize
escuchar to listen
escudriñar to scrutinize
escultórico sculpturesque
esencia essence, perfume
esfuerzo effort
eso that; por — therefore; a — de about; — sí yes indeed
espada sword
espalda back; a mis —s right behind me
espantar to frighten
espantoso frightful
español Spanish; Spaniard
esparcir to scatter
especie *f.* kind, species
espectador spectator
espejo mirror
espera wait; delay
esperanza hope
esperar to wait for; to hope; to expect
espíritu *m.* spirit
espontáneo spontaneous
esposo spouse

esquina corner
estable stable
estación station; season
estadía stay
estado state
estampa engraving
estanque *m.* pool
estar to be; — a gusto to be
  comfortable; — de pie to be
  standing, to be up; — para
  to be about to; — por to be
  in favor of; to be just about to
estepa steppe
estilo style; por el — like that;
  of the kind
estimar to esteem
estirar to stretch, to stretch out
estirpe *f.* stock, family
estómago stomach
estorbar to hinder; to block
estrado stage; drawing room
estrangular to strangle
estrechar to squeeze; — la mano
  to shake hands
estrecho narrow
estrella star
estreno debut
estribo stirrup; perder los —s
  to lose one's head
estruendo noise
estrujado squeezed, pressed
estrujón squeezing
estuche *m.* jewel case; box
etapa stage
etéreo ethereal
eterno eternal
eucalipto eucalyptus
evitar to avoid
evolucionar to evolve, to change
excelso lofty
excitación excitement
excusa excuse
excusarse + *inf.* to not have to
exhalar to exhale; to utter
exigir to demand

éxito success
expender to expend; to sell
experiencia experience; experiment
experimentar to experiment; to
  experience
explicación explanation
explicar to explain
explotar to exploit
expósito foundling
expulsar to expel
extendido extended
extraer to extract
extranjero stranger, foreigner
extraño strange

F

fábrica factory
facción feature
fácil easy
facultad faculty, power; School
  of a university
facha face
falda skirt; slope
falta lack; fault
faltar to be lacking, to need; to
  be missing
faltriquera pocket
fallecer to die
fama fame
familiar familiar; pertaining to
  the family
fantasía phantasy
fantasma *m.* phantom
faro lighthouse
farol *m.* lantern
fastidio annoyance
faz *f.* face
fecundo fecund; rich
felicidad happiness
feliz happy
feo ugly
feria holiday; fair
ferozmente ferociously

ferrocarril *m.* railroad
ferrocarrilero *adj.* railroad
fervorizarse to become inflamed or wrought up
fiar to trust; to guarantee
fiel faithful
fierro iron
figura figure; face
figurar to figure; to depict; —se to imagine; **se me figura** I imagine
fijamente fixedly; very well
fijar to fix; —se to note carefully, to fix one's attention on
fijeza fixity
fijo fixed
filantrópico philanthropic
filo edge
filósofo philosopher
fin *m.* end; **al —** finally; after all; **en —** in short; **en — de cuentas** in the end; **por —** finally
fingir to feign, to pretend
finlandés Finnish
fino fine
flaco skinny
flanco flank, side
flaqueza weakness
flor *f.* flower; **a — de** at the surface of
florecica *dim. of* **flor**
floricultor *m.* floriculturist, florist
flotar to float
fluvial fluvial, pertaining to rivers
fonda inn
fondo background; depth
formidable formidable; terrific
formular to formulate; to express
fortalecido fortified
fortaleza fortress

fortuna fortune; **por —** fortunately
fortunón *m.* large fortune
forzoso enforced
fosco arrogant
fragor *m.* uproar; din
francés French
franco frank
franqueza frankness
frase *f.* sentence, phrase
freír (i) to fry
freno brake; restraint
frente *f.* forehead; *m.* or *f.* front; face; **— a** facing; in front of
fresco fresh
frialdad coldness
frío cold
fruncir to wrinkle
fruto fruit
fuego fire
fuera outside; **— de** outside of; out of
fuerte strong; hard; big
fuerza strength, force
fugitivo fugitive, fleeting
fulgir to shine; to flash
fumar to smoke
función function; performance
funcionario functionary; official
fundo ranch

G

gabinete *m.* study; parlor
gachupín *m.* Spaniard
galán *m.* gallant, ladies' man; **el primer —** the leading man
galante gallant
galería open gallery; porch; corridor
gallina hen; *m.* coward
gana desire
ganadero cattleman
ganancia gain; earnings
ganar to earn, to gain

gancho hook
ganso goose; **voló el —** the bird flew the coop
garbanzo chick pea
garito gambling den
gasa gauze; chiffon gown
gastar to spend; to wear
gasto expense; money for expenses
gato cat
gemir (i) to moan
gendarme policeman
género kind, class
generoso generous
genio genius; temperament
gente *f.* people; **— menuda** small fry; **— de mundo** sophisticated people
gesto gesture
girar to revolve; *m.* turning
globo globe; **en —** as a whole
globuloso globulous
gobierno government
goce *m.* enjoyment
godo Goth
golpe *m.* blow; gust (of air); **de —** suddenly; **a —s** pell-mell
golpear to strike
gordezuelo plump
gota drop
gozar (**de**) to enjoy
gozoso joyful
grabador engraver
gracia grace; *pl.* thanks
grácil graceful; slender
gracioso graceful; charming; witty
grado step; degree; grade
granadero grenadier, soldier
grande large; great
granjear to earn one's living
granuliento grainy
grato pleasing
grave grave; ill
gravedad gravity

griego Greek
gris gray
gritar to cry, to shout; **— a voz en cuello** to shout at the top of one's lungs
gritería outcry
grito cry, shout
grosero coarse, vulgar
grueso thick
guante *m.* glove
guapo handsome
guardajoyas *m.* jewel case
guardar to guard, to keep; to put
guardia guard
guarida den
guerra war
guinda cherry
guisa guise, manner; **a — de** like
gustar to like, to be pleasing; **— de** to like
gusto pleasure; taste; **de todo su —** completely to one's liking

H

haber to have; **hay** there is, there are; **había** there was, there were; **— de** + *inf.* to be to; must; **— que** to be necessary to; **—selas con** to deal with; **no — más que** to have no choice but, to have to
habilidad ability
habitación room
habitar to inhabit, to dwell
hábito habit; dress; order
hablar to speak
hacendoso industrious
hacer to do; to make; **—** + *inf.* to cause to; to make; **—se** to become; **—se de** to become of; **— de** to play; **— bobo a** to make a fool of; **—le burla a**

uno to play a joke on one; — caso de to pay attention to; —se cargo de to take charge of; — como to pretend; — la corte a to pay court to; — cosquillas to tickle; — etapas in stages; making stops; —lado a to make way for; —a un lado to draw aside; — el muerto to play dead; — un papel to play a role; — preguntas to ask questions; *impersonally in expressions of time for* since, ago, *as* hace ocho días a week ago, for a week

hacia toward, in the direction of

hacienda ranch;   estate

halagar to flatter

hallar to find; —se to be

hallazgo find

hambre *f.* hunger

haragán *m.* loafer

harina flour

hasta until; even; to the point of; to

hazaña deed

hechizo charm

hecho deed; fact; de — in fact

helado ice cream

hembra female

henchido swollen; curved

herir (ie, i) to wound

hermano brother

hermoso beautiful

héroe *m.* heroe

heroína heroine

herrero blacksmith

hidalgo nobleman

hiel *f.* bile; bitterness

hijo son; hija daughter; dear

hilera thread; row

hilo thread

hiperbólico hyperbolic, greatly exaggerated

historia history; story

historiador *m.* historian

hogar *m.* hearth; home

hoja leaf; sheet

hombre *m.* man

hondo deep; low; interior (said of an apartment or house)

honrado honest

hora hour; time; a primera — at an early hour

hormiga ant

hoy today

hueco hollow

huérfano orphan

huerto garden; orchard

huevo egg

huída flight

huir to flee

humilde humble

humillar to humiliate

humo smoke

humor *m.* humor

hundido sunken; deep set

hundir to sink

hurgar to poke (through)

hurto theft

I

idear to think up

idiota idiotic; idiot

iglesia church

ignorar to be ignorant of; not to know

igual equal; — que as well as; just like

igualdad equality; de esa — absoluta absolutely alike, identical

ilustrar to illustrate; to explain; to enlighten

imagen *f.* image

impedir (i) to impede, to hinder

imperio empire; con — imperiously

importar to matter

imprecación curse
impresionante impressive
imprimir to impress; to print; to impart; to impose
improviso: de — suddenly; unexpectedly
impulsar to impel
inaudito unheard of
incansable untiring
incapaz uncapable
incendiario incendiary, fiery
incertidumbre uncertainty
inclinar to bend; to rest
inconstante inconstant, fickle
incontenible irrepressible
incorporarse to sit up; to get up
incorregible incorrigible
incursión incursion, invasion
indeciso indecisive
Indias Indies, America
indio Indian
indudable without a doubt
infame infamous
infeliz unhappy; wretched
informarse to become informed; to make inquiries
infortunado unfortunate
infundir to instil
ingenuidad ingenuousness
ingenuo ingenuous, simple
inglés English
ingobernable ungovernable
ingratitud ungratefulness
iniciado initiated one (instructed in arts or secret lore)
ininteligible unintelligible
injuria insult
inmóvil immobile
inmovilidad immobility; lack of expression
inmovilizarse to become immobilized
inmutarse to change expression
inolvidable unforgettable
inquietarse to become upset

inquieto upset
inquietud anxiety
insectico *dim. of* insecto insect
insensible imperceptible
insinuar to insinuate
insoportable unbearable
instigador *m.* instigator
instinto instinct
intentar to attempt
interesarse por to be interested in
interlocutor questioner
intermedio: por — de by means of
intermitencia: con —s intermittently
interponerse to interpose
interrogar to question
interrumpir to interrupt
intervenir (ie) to intervene
íntimo intimate
introducirse to introduce oneself; to enter
inundado flooded
inusitado unusual
inútil useless
invectiva invective, cursing
inverosímil improbable, unlikely
invertir (ie, i) to invest
invitado guest
ir to go; — + *present participle* to go on . . . –ing; —se to go away; vamos let's go; come now
ira anger, ire
irrealizable unattainable
izquierda left hand
izquierdo left

J

jamás never
jardín *m.* garden
jardinero gardener
jarro pitcher; urn

jaula cage
jauría pack
jefe *m.* chief
jersey *m.* jersey (sweater)
joven young
joya jewel
joyería jewelry shop
joyero jeweler
júbilo jubilation
judío Jew
Jueves Santo Holy Thursday
juez *m.* judge
jugador *m.* gambler
jugar (ue) to play; to gamble
jugo juice
juguetón playful
juicio judgment
juntar to join; to gather
junto a near, close to; —s together
juramento oath
jurar to swear
jurídico juridical
justamente just
justo just; exact
juventud youth
juzgar to judge

L

labio lip
laboriosidad laboriousness
labrar to work; to till; to eat
lacio withered; languid
lado side
ladrillo brick
ladrón *m.* thief; thieving
lago lake
lágrima tear
lamentar to lament; to regret
lanzar to throw; to let out
lar *m.* household god
largo long
lástima pity
latino Latin

latir to beat
lavar to wash
lección lesson
lector reader
lectura reading
lecho bed
lechuza owl
leer to read
lejos far, far away; a lo — in the distance
lengua tongue; language
lentitud slowness
lento slow
levantar to raise; —se to get up
libación libation, drink
librarse to free, to get rid of
libre free
libro book
licorera a utensil for holding liquor glasses, usually in the form of a double tiered tray
ligero light
limosna alms; de — as a gift
limpiar to clean
limpio clean
lindo pretty
línea line
líquido liquid
lira lyre
liso smooth
lista list; menu
listo ready; clever; alert
lóbulo lobe
loco crazy
locura craziness, madness
lograr to succeed in; to obtain
lomo back
losa flagstone
lote *m.* lot
lotería lottery
loto lotus
luciérnaga glowworm, firefly
lucir to shine; to show off
luego then; later; — que as soon as; desde — of course

lugar *m.* place; **en — de** instead
  of
lujo luxury
lunes *m.* Monday
luz *f.* light

LL

llamar to call; to knock; **—se**
  to be named, to be called
llave *f.* key
llegar to arrive; to reach; **— a**
  + *inf.* to come to; to succeed
  in; **— a producir** to bring
  about; **— a ser** to become
lleno full
llevadero bearable
llevar to bear; to take; to wear;
  to carry; to lead; to have; **—se**
  to carry away; **— a cabo** to
  carry out
llorar to cry
llover (ue) to rain
lluvia rain

M

macabro macabre
maceta flower pot
madera wood; shutter
madre *f.* mother
madrugada early morning; dawn
magistrado magistrate
magnánimo magnanimous
mago magician
majestuoso majestic
mal *m.* illness; misfortune
maldito cursed
malecón *m.* sea wall; dock
malo bad; ill
malquerer (ie) to dislike
mancebo youth
manco one-handed
mandato order
manejar to drive; to manage;
  to wield

manicura manicurist
mano *f.* hand; **a —s de** at the
  hands of
manojo handful
manta blanket; coarse cotton
  cloth
mantener (ie) to maintain; to
  support
mantilla shawl
mañana morning; tomorrow; **pa-**
  sado — the day after tomorrow
máquina machine; **— de escri-**
  bir typewriter
mar *m.* & *f.* sea
maravilla marvel, wonder
maravillado astonished
maravilloso marvelous
marcar to mark
marcha march; **en —** in motion
marcharse to go away
marchitar to wither; to cause to
  fade
marfil *m.* ivory
marido husband
marinero sailor
mármol *m.* marble
martillo hammer
martirio martyrdom
mas but
más more; most; moreover; **—**
  allá de beyond; **— bien** rather;
  — de more than; **— que**
  more than; **no — que** no more
  than, only
masa mass
mata bush
matar to kill
matiz *m.* nuance, shade
matrimonio married couple; marriage
mayor older; greater; bigger
mayoría majority
mecánica machinery; mechanics
media stocking, hose
mediano average

medianoche *f.* midnight

mediante by means of

medida measure; a — que in proportion as; while

medio half; middle; en — de in the midst of; por — de by means of; *m.* way, means

mediodía *m.* noon

medir (i) to measure

meditabundo thoughtful, meditative

meditar to meditate

mejilla cheek

mejor better; best; rather; a lo — like as not

meloso honeyed

membrana membrane

memoria memory; memoir

menear to wiggle

menester necessary

menesteroso needy

menor smaller; lesser; minor; younger

menos less; not so much; except; al —, por lo —, cuando — at least

mente *f.* mind

menudo small; a — often

merced *f.* grace; — a thanks to

merecer to merit, to deserve

meridiano meridian

mero a fish of the perch family

mes *m.* month

mesa table

mesero waiter

mesón *m.* inn; bar (Chile)

metalista *m.* metal worker

meter to put in; —se en buena to get into a mess; — paz to bring about peace; —se en la cama to go to bed

metro meter; tape measure

mezclar to mix

miedo fear

miel *f.* honey

miembro member; limb

mientras while; — tanto meanwhile

mil thousand

milloncejo little million

ministril *m.* minor official

minuto minute

mirada look

mirar to look at; —le de alto a bajo to look one up and down

misericordia mercy

mismo same; similar; like; very; self; lo — the same thing; lo — que as well as; just as

mitad half

mito myth

mitología mythology

mocoso snively; despicable; *m.* brat

moda mode, fashion

modelar to model, to shape

modelo model

modista dressmaker

modo manner, way; de — que so that; so then; de todos —s in any case; anyway

mohino gloomy; mournful

mojar to moisten; to drench

molestar to bother, to annoy

momento moment; de — suddenly; one moment

moneda coin, money; Casa de Moneda mint

mono cute

monologar to speak in a monologue

monstruo monster

montaña mountain

montar to mount; to ride

monte *m.* mountain; woods; bank (in gambling)

montón *m.* heap; — de arena sand dune

moraleja moral

mórbido soft

morder (ue) to bite
mordiscón *m.* big bite
moreno dark, brunette
moribundo moribund, dying
morir(se) (ue, u) to die
mortificarse to be mortified
mosca fly
mostrador *m.* bar; counter
mostrar (ue) to show; to teach
mover(se) (ue) to move
movilizar to mobilize; to move
mozo youth; waiter
muchacho boy
muchedumbre *f.* crowd
mucho much, a great deal; a
   long time
mueblista man in charge of sets
   theat.
muelle soft; luxurious; *m.* dock
muestra sample; sign
mujer *f.* woman; wife
multa fine
mundanal worldly
mundo world
muñeca wrist
muñeco doll
murmullo murmur
muro wall
musculatura musculature
músculo muscle
música music
mustio gloomy
mutación mutation, change
muy very

N

nacer to be born
nacimiento birth
nada nothing; — de not at all;
   no
nadar to swim
nadie nobody
nalga buttock
naranja orange

naranjo orange tree
narigudo big-nosed
nariz *f.* nose
nata cream
natural natural; native
naturaleza nature
navaja razor; knife
navegante navigator
neblina fog
necesitar to need
necio foolish
negar (ie) to deny; —se a to
   refuse
negociante dealer; businessman
negro black
nervio nerve
nervioso nervous
ni nor; neither; not even; — con
   mucho not by any means; —
   por pienso by no means; —
   siquiera not even
niebla fog
nieto grandchild; grandson
ninguno no; none; not one;
   nobody; de ningún modo by
   no means
niño child
nivel *m.* level
nobleza nobility
nocturno night; nocturnal; night
   train
noche *f.* night; de — at night;
   — a — night after night
nombre *m.* name
norte *m.* north
notable distinguished; remark-
   able
notar to note; to remark; to
   notice
noticia news
noviazgo courtship
nube *f.* cloud
nublado cloudy
nuca nape
nuevo new; modern; de — again

numerado numbered
número number
nunca never
nupcias *pl.* nuptials, marriage

O

obedecer to obey
obra work; buena — charity
obscurecer to become dark
obscuridad obscurity, darkness
obscuro obscure; dark; en lo —
in the darkness
obsequiar to give
obsequio gift
occidental occidental, western
océano ocean
ocultar to hide
ocupar to occupy
ocurrencia witticism; bright idea
ocurrir to occur, to happen
odio hatred
ofender to offend
oficina office
ofrecer to offer
oído ear
oidor *m.* judge
oír to hear; to listen; to understand; — decir *or* hablar to
hear people say or talk
ojeada glance
ojo eye; en un abrir y cerrar de
—s in the twinkling of an
eye
ola wave
olor odor
olvidar to forget; to neglect; to
omit
olla kettle
onda wave
ondular to undulate, to ripple
oponer to oppose
opuesto opposite
opulento opulent, rich
oración prayer

oráculo oracle
orden *m.* order; method; *f.* order; command; running
ordenar to order
oreja ear
órgano organ
orgullo pride
orgulloso proud
orientarse to become oriented,
to find one's bearings
oriente *m.* east; lustre, brilliance
orilla shore, bank
oro gold
orquestación orchestration
oscuro obscure; dark
oso bear
ostentar to show off; to wear;
to display
otro another; other; al — día
the next day

P

pacto pact
padecer to suffer
padre *m.* father
padrino godfather
pagar to pay (for)
página page
país *m.* country
paisaje *m.* landscape
pájaro bird
pajarraco ugly bird
pajizo straw colored; pale
palabra word
palabrota vulgar word
palacio palace
paleta palette
palidecer to become pale
palidez *f.* paleness
pálido pale
palma palm
palmo span; palm
palo stick; terminar en —s to
end in beatings

palomita dove; —s sin hiel cooing doves
palpar to touch; to grope
pan *m.* bread
panadería bakery
panoplia panoply
pantalón *m.* pants
paño cloth; woolen cloth
papel *m.* paper; role
paquete *m.* package
par equal; a la — at the same time; un — de a couple of
para for; in order to; — que so that, in order that
paradero whereabouts
paraguayo Paraguayan
paraje *m.* place
paralelo parallel
parar(se) to stop
parásito parasite; parasitic
parecer to seem; to appear; —se a to resemble
pared *f.* wall
pareja pair, couple
pariente *m. & f.* relative
parranda spree
parte *f.* part; en ninguna — nowhere; por todas —s everywhere
particular private; peculiar
partida departure; scene
partidario partisan
partido game, match; split
partir to depart; to share
pasaje *m.* passage
pasar to pass; to happen; — de to pass as
Pascua Easter
pasear to take a walk
pasillo corridor
pasividad passivity, passiveness
paso step; way; a cada — at every step; all the time; al — que while
pasto pasture; food

pata foot; leg
patrimonio patrimony; ownership
pausado deliberate
pavor *m.* fear
paz *f.* peace
pecado sin
pececillo *dim. of* pez
pecho chest
pedazo piece, bit
pedir (i) to ask for; to demand; — excusa por to apologize
pegar to stick; to beat, to strike
peinar to comb
pelado bare
peligro danger
peligroso dangerous
pelo hair
pelota ball
pellizcar to pinch
pellizco pinch
pena grief
pendencia fight
pendiente *f.* slope
penosamente with difficulty
pensamiento thought
pensar (ie) to think; to intend; — en to think about
peor worse; worst
pequeño small
percebir (i) to perceive
perder (ie) to lose; to waste; —se to get lost; to disappear
pérdida loss
perdón *m.* pardon
perecer to perish
peregrino wandering; strange
perezoso lazy
perfeccionar to perfect; to become more perfect; to get into better shape
perfectamente perfectly; absolutely
pergamino parchment; paper proving title to nobility

periódico newspaper
perla pearl
permanecer to remain
permutación permutation
pero but
perro dog
perseguir (i) to pursue
personaje *m.* personage, character
pertenecer to belong
perturbador disturbing
pesado heavy; tiresome
pesadumbre *f.* sorrow
pesar to weigh; *m.* sorrow; concern; a — de in spite of
pesca fishing; catch of fish
pescado fish
pescador fisherman
pescar to fish; to catch
pescuezo neck
peseta Spanish coin (the fifth part of a duro or dollar)
peso weight; coin used in Mexico and other Spanish speaking countries as a dollar
pesquisa investigation
pétalo petal
petrificar to petrify
pez *m.* fish
pícaro rogue; roguish
pico beak; a little more; small amount
pie *m.* foot
piedad piety; pity
piedra stone, rock
piel *f.* fur; skin
pierna leg
pieza piece; room; play
pintar to paint
pintita *dim. of* pinta dot, mark
pintura painting
pipa pipe
piquillo *dim. of* pico
piso floor; ground; story
pisotear to trample, to stamp on

pitear to whistle
pito whistle
placer *m.* pleasure
planeta *m.* planet
plano base
plantar to plant; to apply
plata silver; money
platicar to chat, to talk
plato plate, dish
platónico Platonic
playa beach
plaza square
plazo time limit; time
plegar (ie) to fold
pleito lawsuit; affair
pleno full
pliegue *m.* fold, crease
plomo lead
pluma pen
poblar (ue) to populate; to fill
pobre poor
pobretón *m.* poor fellow
pobreza poverty
poco little; small; *pl.* few; a — shortly afterwards; — a — little by little; por — almost; un — a little; somewhat
poder (ue) to be able; can; no — más to be worn out; puede que maybe; *m.* power
poderoso powerful
poema *m.* poem
poesía poetry
poeta *m.* poet
polar polar
polen *m.* pollen
policía *m.* policeman; *f.* police force
polilla moth
político political; politician
polo pole
pollerita little skirt
poncho poncho
poner to put; to place; to send; to set (as a table); to bet; —

en sobresalto to frighten; —se to apply oneself to; to set about; to put on (clothes); to get; to become; —se a to begin; —se de acuerdo con to agree with; —se de pie to stand up; —se en ridículo to make oneself ridiculous; — prisa a to hurry up; —se en pie to get up

por for; because of; out of; through; along; by; per; as; on account of; for the sake of; — eso therefore; — entre through; — más que however much; — supuesto of course

pordiosero beggar

pormenor m. detail

porque because; so that, in order that

por qué why

posar to rest; to place

posdata postscript

poseer to possess

postura posture; position

potente potent, powerful

potestad power

practicar to practice

práctico practical

precavido cautious

precio price

precioso precious

precipitado rushing

precipitar to rush; to precipitate (chemistry), to separate

predilecto favorite

predisponer to predispose

pregunta question

preguntar to question

premio reward; prize

premura haste; urgency

prenda pledge; token; garment

prensa press

preñado pregnant

preocuparse to worry

presa prey

presenciar to witness

presentar to present; to introduce

presente m. gift; present

presión pressure

preso prisoner

préstamo loan

prestar to lend

prestidigitador m. magician

presto soon; quickly

presunto supposed

pretender to try; to pretend

pretérito past

primero first; leading; early

primor m. beauty

principiar to begin

principio beginning; al — in the beginning

prisa haste; de — hurriedly

privar to deprive

proa prow

probar (ue) to prove; to try; to experiment

proceder de to come from

procurar to procure, to get; to try

prodigar to squander, to lavish

proferir (ie, i) to utter

prójimo fellow man; fellow

proletario proletarian

promesa promise

prometer to promise

promontorio promontory

pronto prompt; soon; ready; de — suddenly

propicio propitious, opportune

propio own

proponer to propose

propósito purpose

proseguir (i) to continue

proteger to protect

provisto provided

próximo next; near

proyecto project

prueba proof; test
psicólogo psychologist
publicar to publish
público public, audience
pueblo town; people
puente *m.* bridge
pueril puerile, childish
puerta door
puerto port
pues since; well; then; for
puesta set; — de sol sunset
puesto post; place
pulsera bracelet; wrist band
punta point; end
punto point; moment; gambler; cabstand
punzada prick
puñado fistful, handful
puñal *m.* dagger
puñalada stab
puñetazo punch
pupila pupil
puro pure; sheer
putativo spurious; reputed

Q

que who; whom; which; that; what; for
qué what; how; why; what a; ¡ — sé yo! how do I know
quebrado broken
quebrantado broken
quedar(se) to remain; to stay; to continue; to resolve; to be; to be left; — en to agree on
quehacer *m.* chore
queja complaint
quejarse to complain
quemado burned
querer (ie) to wish; to love; to like; — decir to mean
querido beloved
quia oh, no!
quien who; whom; someone who

quién who
quimérico fantastic
quitar to take away; to remove; —se to take off
quizá(s) perhaps

R

racionista *m. & f.* extra *theat.*
ralo sparse
ramaje *m.* branches; floral piece
rana frog
rapidez *f.* rapidity
rareza strangeness
raro strange; rare
rascar to scratch
rasgar to tear
rasgo trait; stroke
raso satin
rato short while; a —s now and then; al — after a short while
raya ray; line; stripe
rayar to come out (said of the sun)
rayo ray
razón *f.* reason; right; en — de because
reacción reaction
reaccionar to react
real real; royal; *m.* small coin
reanudar to resume; to continue
reasumir to resume
rebajarse to stoop
rebosar to overflow (with)
rebuscar to search for
recaer sobre to fall upon
recelar to fear; to be suspicious
recelo fear; distrust
receloso fearful; distrustful
recibir to receive
recién recently; just
reciente recent
recinto area; enclosure
recio strong
reclamación demand; complaint

recoger to pick up; to collect
recogido modest; embarrassed
recompensar to recompense, to repay
recomponer to mend
reconocer to recognize
recordar (ue) to remember; to recall, to bring to mind
recorrer to traverse; to go all through; to examine; to make the rounds of
recuerdo memory; remembrance; recollection
recurso recourse; resort; resource
red f. net
redecita dim. of red
redoblar to beat
redondear to round (up); to acquire
redondo round
reflejar to reflect; to reveal
refrán m. refrain; proverb
refugiarse to take refuge
refunfuñar to grumble
regalar to give
regalo gift
regar (ie) to irrigate
regazo lap
regentear to preside over
registrar to examine; to search
regocijadamente cheerfully
regocijo joy
regresar to return
regreso return
regular regular; fair; moderate
reina queen
reinar to reign
reino kingdom; reign
reír to laugh; —se de to laugh at; — a grandes carcajadas to guffaw
reiterado reiterated, repeated
reivindicar to reclaim
reja grating, grille

relación relationship; relation
relacionarse to be related
relamerse to gloat; to lick one's chops
relámpago lightning bolt
relatar relate; to tell
reliquia relic
reloj m. watch, clock
reluciente shining
rematado ended; loco — stark mad
rematar to end
remate m. end; por — finally
remo oar
remoto remote
rendimiento obsequiousness
rendir (i) to surrender
renovación renewal; change
reparar to notice; to repair
repartir to distribute
repente: de — suddenly
repetir (i) to repeat
replicar to reply
reponer to reply; to recover
reposo repose
representación performance
representar to represent; to put on (a play)
reproche m. reproach
repúblico statesman; patriot; republican
requiebro flattery; flirtation
res f. head of cattle; beast
reservado reserved; discreet
resistir to resist; to oppose; to endure
resolver (ue) to resolve; to sum up; to analyze
resonancia resonance; echo
respetabilidad respectability
respetable respectable
respetar to respect
respeto respect
respirar to breathe
responder to answer

respuesta answer
resto rest, remainder
resuelto resolved, decided
resultado result
resultar to result; to turn out; to appear
reticencia reticence; half-truth
retirarse to retire; to withdraw
retiro retreat
retorcer (ue) to wring; to twist
retrasarse to be late
retrato portrait
retroceder to withdraw
reunir to gather; to join
revelar to reveal
revolver (ue) to go through; to turn things upside down; to turn over
rey m. king
rico rich
riesgo risk
rincón m. corner
riña fight; quarrel
río river
ríspido harsh
rítmico rhythmic
rivalidad rivalry
rizo curl
robado robbed
robustecer to strengthen
rodar (ue) to roll; to tumble; m. roll; turning
rodear to surround
rodeo subterfuge; beating about the bush
rodilla knee; de —s kneeling
rogar (ue) to beg; to ask for
rojo red
romano Roman
romper to break
ronco hoarse; harsh
ropa clothing
rosado rosy
rosal m. rosebush
rostro face

roto broken
rozar to brush against
rubio blond
ruborizar to blush
rudo rude; stupid
rueda wheel
ruedo circle
rugir to roar
ruido noise
ruidosamente noisily
ruleta roulette
rumor m. noise; sound; murmur; rumor
ruptura rupture; outbreak
rutilante shining

S

saber to know; to know how to; to be able; to learn, to find out; — a to taste of
sabio wise; wise man
sacar to take out; to pull out; to get out; to stick out; to get; to buy (a ticket); — a to take from
sacudir to shake
sal f. salt
sala living room
salida exit; witticism; remark
salir to leave; to go out; to come out; to go; — a to take after, to resemble
salón m. salon; saloon
saltar to jump
salto jump; pounce
salud f. health
saludable healthy; wholesome
saludar to greet
saludo greeting; bow
salvar to save
sangre f. blood
santiguarse to cross oneself
santo saint; holy
santuario sanctuary

sapo toad
saquear to sack, to plunder
sargento sergeant
Satanás Satan
satisfacer to satisfy
seco dry
seda silk
sedoso silky
seguida: en — immediately
seguir (i) to follow; to continue
segundo second
seguridad assurance
seguro sure; safe; security; de
— surely
selva forest, jungle
sello stamp
semana week
semblante *m.* face
semejante similar; like; such (a)
semilla seed
sencillo simple
seno breast
sensibilidad sensibility
sensible perceptible
sensitiva sensitive plant
sentar (ie) to seat; to fit; to become; to agree; —se to sit
down; — sus reales to settle
down
sentido sense; meaning
sentimiento feeling; regret
sentir (ie, i) to feel; to be sorry
for; to regret; —se to feel
señal *f.* sign
señor sir; mister; Lord; master
señoría lordship
señoril lordly; majestic
señorío mastery (of passions)
ser to be; to exist; to happen;
m. existence; human being;
— amigo de to be fond of;
es que the fact is that; sea...
sea... whether... or...
serio serious
serpentina serpentine, confetti

servidor servant
servil servile
servir (i) to serve; to be useful;
—se de to make use of; —
para to be good for
si if; why; whether
sí yes; indeed; certainly
siempre always
siglo century
significado meaning
significativo significant
siguiente following; al día —
the following day
silbido whistle
silla chair
simpatía sympathy; liking
simpático pleasant, likable;
charming; sympathetic
simpatizar to be congenial; to
get on well with
simple simple; pure
simular to simulate, to pretend
sin without; — embargo nevertheless
sinfonía symphony
singular singular; unusual
singularidad singularity; unique
quality
siniestra left hand
siniestro sinister
sinnúmero endless; great amount
sino but; but rather; except;
only
siquiera: ni — not even
sirena siren
sistema *m.* system
sitio place; siege
soberano sovereign
soberbio proud; superb; angry
sobrar to exceed; to be left over
sobre on; upon; over; — todo
above all, especially
sobrecargo purser
sobrecoger to surprise; to seize
sobrehumano superhuman

sobrellevar to bear, to suffer
sobresalto scare
sobrevenir (ie) to supervene; to follow closely
sobrio sober
socarronería slyness
sociedad society; la buena — high society
sol m. sun
soldado soldier
soldadura soldering
soledad solitude; lonely place
soler (ue) to be accustomed to
solicitado sought after
solicitar to ask for, to solicit; to hand in (a resignation)
sólido solid
sólo only; — que unless; except that
solo alone; single
soltero unmarried, single
sollozar to weep
sombra shade; shadow
sombrero hat
sombrío somber; gloomy
son m. sound
sonar (ue) to sound; to ring
sonido sound
sonreír(se) (i) to smile
sonrisa smile
soñar (ue) to dream; — con to dream of
soñoliento sleepy; hazy
soplo blowing; gust of wind
sorpresa surprise
sosegado peaceful
sosegar to calm; to rest
sospechar to suspect
sótano cellar
suave smooth; gentle
suavidad smoothness; gentleness
subir to rise; to go up; to get in; to climb
súbito: de — suddenly
subrayar to underline

subrepticio surreptitious; secret
suceder to happen
sucesivamente successively
suceso event, happening
sudar to sweat
sudoeste m. southwest
suegro father-in-law
suelo ground; floor
suelto free; loose
sueño dream; sleep; sleepiness
suerte f. luck; fortune; es una — it is lucky
sufrir to suffer
sugerir (ie, i) to suggest, to hint
suicidarse to commit suicide
sujetar to subject; to hold; to hold back
sujeto subject; fellow
suma sum
sumamente extremely; exceedingly
sumiso submissive
superficie f. surface
superior superior; higher; upper; advanced
suplicio torture
suponer to suppose
supuesto: por — of course
suspicaz suspicious
suspirar to sigh
sustancia substance
susto fright
sutil subtle
sutileza subtlety
suyo yours; his; hers; theirs; de — spontaneously; of one's own accord

T

tabaco tobacco
taberna tavern
tabú m. taboo
tacto touch
tal such; such a; a certain; —

o cual such and such; ¿Qué
tal? How are you? How's
that? How does it seem to
you? — como just as
talante m. desire; a su buen —
as one pleases
talismán m. talisman, charm
tallar to cut
tamal m. tamale
tamaño size
tambalear(se) to stagger
también also, too
tambor m. drum
tampoco neither; either; nor;
not . . . either
tan so; — . . . como as . . . as
tanto so much; as much; very
great; so many; — como as
much . . . as; un — cuanto a
bit; somewhat; en — in the
meantime; en — que while;
por lo — therefore; un —
somewhat, rather
tapa lid, top
tapar to cover
tapete m. rug; — verde gambling table
tardanza slowness; delay
tardar to delay; to put off; — en
+ inf. to be slow in; to delay
tarde f. afternoon; late; de —
en — from time to time
tardo slow; late
tarea task
tartamudear to stammer
tasar to appraise; to set the
price of
tatú m. armadillo Amer.
taza cup
té m. tea
teatro theater
techo roof; ceiling
tela cloth; web
telar m. loom; network; upper
part of the stage (flies)

telón m. curtain; — de boca
front curtain theat.
temblar (ie) to tremble
temblor m. trembling; tremor
tembloroso tremulous
temer to fear
temeridad temerity, rashness
temeroso timid; fearful
temor m. fear
temperamento temperament
templado moderate; temperate
(in climate)
templo temple
temporada season; period
temporal m. storm
temprano early
tenazmente stubbornly
tendajo little shop
tender (ie) to stretch out; to
extend
tenebroso shadowy; gloomy
tener (ie) to have; to own; to
hold fast; to be the matter
with; — celos to be jealous;
— entendido to bear in mind;
— envidia to envy; — éxito
to be successful; — ganas de
to feel like; — lugar to take
place; — que to have to; —
razón to be right; — sueño
to be sleepy
teniente m. lieutenant
tentación temptation
tentar (ie) to tempt
teñir (i) to dye
teológico theological
tequila a Mexican liquor distilled
from the maguey plant
tercero third
terciar to break into
terciopelo velvet
térmico thermic; heat
término end; boundary
ternura tenderness
terráqueo terrestrial

terraza terrace, veranda
terreno terrain
tertuliante *m. & f.* party goer;
  member of a social gathering
tesis *f.* thesis
testigo witness
textualmente textually; literally
tibio tepid, warm
tiempo time; weather; **a —** on
  time; **a — que** at the time
  that; while; **al mismo —** at
  the same time
tienda store
tierno tender
tierra earth
tigre *m.* tiger
tinieblas *pl.* shadows; darkness
tío uncle; old man; guy
tipo type; fellow
tirano tyrant
tirar to throw; to fire; to draw;
  to pull; to throw away
titubear to stammer
título title
tlaco Mexican coin worth ⅛ of a
  real
tocar to touch; to play (an instrument); to ring; **—le a uno**
  to be one's turn *or* right; **—**
  un pito to blow a whistle
todavía still, yet, nevertheless
todo all, entire, complete; every;
  m. everything, all; *m. pl.*
  everyone; **con —** withal, however; **del —** completely; **—**
  el mundo everyone; **—s cuantos**
  all those who
tomar to take; **— contacto** to
  touch; **— el fresco** to get some
  fresh air; **— en serio** to take
  seriously
tono tone
tontería foolishness
tonto fool
toque *m.* touch; sound

torcer (ue) to twist; to turn
tormenta torment; storm
tornar to turn; **— a +** *inf.* again
torpeza slowness; awkwardness
tos *f.* cough
tosco rough; gross
tostón *m.* Mexican coin worth
  half a peso
trabajo work; job
trabarse to join together
tradicionista teller of tradiciones
  (tales)
traducir to translate; to express
traer to bring; to carry; to lead
traicionero treacherous
traidor *m.* traitor
traje *m.* suit; clothes; **—de**
  montar riding clothes
trama plot; texture
tramoya stage machinery
tramoyista stagehand
tranquilidad tranquillity, peace
transcurrir to pass
transeúnte *m. & f.* transient;
  passerby
translúcido translucent
trapo rag
traqueteo rattling
tras (de) after, behind
trasladar to move
trasnochar to stay up all night
trasplantar transplant
traspunte *m.* prompter *theat.*
trastornar to upset
trastorno upset, disturbance
tratar to treat; **— de** to try to;
  to deal with; **—se de** to be a
  question of; to be about
trato treatment
través: **a — de, al — de** through;
  across
travesía crossing
travesura mischief; prank
travieso mischievous
trazo trace

tregua truce; let up
tremendo tremendous; great
trémulo tremulous
tren m. train
trepar to climb
trinchera trench
triste sad
triunfo triumph
trocar to exchange; to change
trompo top
trono throne
tropel m. rush; hurly-burly
tropezar (con) to stumble; to
    strike; to run into; to come
    across
trozo piece
truco trick
tubo tube
tuerto twisted; one-eyed
tul m. tulle
túnica tunic
turco Turk

U

ubicación location
último last; latest; recent
ultraje m. outrage
umbral m. threshold
único only; unique
uña nail; claw
urna urn
usar to use
uso use
útil useful

V

vacilación hesitation
vacilar to hesitate
vacío empty
vagar to wander
vago vague
vagón m. railroad coach
vaivén m. swaying motion

valentía bravery, courage
valer to be worth; to be equal to;
    to be useful; — más to be
    better; — la pena to be worth-
    while; ¡Válgame Dios! Good
    Heavens!
valerosamente bravely
valor m. value, worth
vals m. waltz
valle m. valley
vano vain
vara measure of length: 2.8 feet
varilla rib (of a fan)
varón m. man; male
vasito cup
vaso glass
vasto vast
vecindad neighborhood
vecino neighbor; citizen; neigh-
    boring
vegetal vegetable
vejez f. old age
vela sail; candle
velar to watch over
velocidad speed
velozmente swiftly
vellocino fleece
vencer to win; to conquer
vender to sell
veneno venom, poison
venenoso poisonous
vengarse to take revenge
venir (ie) to come
ventana window
ver to see; to look into; to look
    upon; a — let's see; —se to
    find oneself; to be seen; to be
    evident
veras: de — really
verbigracia for example
verdad truth
verdadero true
verde green
vergüenza shame
vertiginoso dizzying

vértigo dizziness; fit

vestir (i) to wear; to dress; —se to dress; *m.* dress; dressing

vez *f.* time; **a veces** at times; **cierta —** once upon a time; **de una —** at one time; **en — de** instead of; **cada — más** gradually; **tal —** perhaps; **una que otra —** now and then; **otra —** again; **a su —** in one's turn

viajar to travel

viaje *m.* trip; **— de ida** trip going; **— de regreso, — de vuelta** return trip

viajero traveler

víbora viper, snake

vida life

vidriera glass window

vidrio glass; window pane

viejo old

viento wind

vigilia watch; being awake

vilo: en — in the air

villorrio village

vino wine

virgen *f.* virgin

virtud virtue

virtuosismo virtuosity

visar to visa

visigodo Visigoth

visita visit; visitor

vista sight

vitrina showcase; shop window

viuda widow

vivamente vividly

vivaracho lively

viveza quickness; vehemence

vivir to live

vivo vivid; alive; quick; bright

volar (ue) to fly; **voló el ganso** the bird flew the coop

voluptuoso voluptuous

volver (ue) to return; **—se** to turn; to become; **— a + ** *inf.* again; **— en sí** to come to, to regain consciousness; **—se humo** to vanish into thin air; **—se loco** to go crazy

voz *f.* voice; **en — alta** aloud

vuelo flight

vuelta turn

vulgar vulgar; common, ordinary

Y

y and

ya already; now; presently; quite; still; surely; immediately; (sometimes used to emphasize, sometimes untranslatable); **— que** since; **— no** no longer; **— ... — ...** sometimes ... sometimes

yacaré *m.* alligator *Amer.*

yarará *f.* a poisonous snake *Amer.*

yergue *see* **erguir**

yerto stiff

Z

zaguán *m.* vestibule, entry

zapatazo smack with a shoe

zapato shoe

¡zas! bang! boom!

zumbar to buzz

zurdo left; left-handed